Franz Kafka
(1883-1924)

Franz Kafka nasceu em Praga, cidade que na época fazia parte do Império Austro-Húngaro. Filho de judeus, pertencia à minoria da população tcheca que tinha o alemão como língua materna. Iniciou sua carreira literária em 1908, quando publicou no periódico *Hyperion* oito textos em prosa que mais tarde viriam a integrar o volume *Contemplação*. Outras obras importantes publicadas em vida incluem *O veredicto*, *O foguista* (primeiro capítulo do romance póstumo *América*) e a coletânea de contos *Um médico rural*, além de seu livro mais célebre, *A metamorfose*.

Durante muitos anos (1908-1922), Kafka trabalhou como funcionário público na companhia de seguros *Arbeiter-Unfall-Versicherungsanstalt*, em Praga, onde exerceu funções relacionadas a estatística, advocacia e elaboração de documentos técnicos. Foi um dos poucos intelectuais de sua época a conhecer de perto as reais condições de trabalho nas fábricas.

Embora tenha noivado duas vezes, Kafka jamais se casou. O difícil relacionamento que mantinha com o pai também foi motivo de muitas atribulações em sua vida afetiva.

Sempre muito crítico em relação a seus escritos, Kafka declarou certa vez que, de tudo o que havia escrito, apenas cinco livros e um conto tinham qualquer valor. Duas destas obras eram "Um artista da fome" e *Na colônia penal*.

Kafka pretendia publicar *Na colônia penal*, escrito em 1914, junto com *A metamorfose* e *O veredicto* em um volume único, intitulado *Strafen* ("Castigos"). A ideia, no entanto, foi rejeitada
só apareceu em 1919, er
leitura pública da obra e

As quatro histórias que compõem *Um artista da fome* foram escritas em 1922-1924 e publicadas em diversos periódicos da época. O conto "Josefine, a cantora" foi a última obra em que Kafka trabalhou antes de sua morte prematura, aos 40 anos, vítima da tuberculose.

Ao morrer, deixou muitos escritos inéditos e inacabados. Max Brod, amigo e testamenteiro do autor, recebeu de Kafka – que ansiava pelo esquecimento total de sua obra – a incumbência de destruir todos os seus manuscritos. Incapaz de levar a cabo o desejo do amigo, a quem considerava "o maior poeta de nosso tempo" antes mesmo que Kafka fosse publicado, Brod preferiu dedicar-se à publicação de obras póstumas como *Carta ao pai*, *O processo*, *O castelo* e *América*, entre muitas outras.

Livros do autor publicados pela **L&PM** EDITORES:

Um artista da fome seguido de *Na colônia penal & outras histórias*
Carta ao pai
A metamorfose seguido de *O veredicto*
O processo
Kafka – Série Ouro (*O veredicto*; *A metamorfose*; *Na colônia penal*; *O processo*; *Primeira dor*; *Um artista da fome*; *Uma pequena mulher*; *Josefine, a cantora ou O povo dos ratos*; *Carta ao pai*)
Kafka – Obras escolhidas (*A metamorfose*; *O processo*; *Carta ao pai*)

Leia também:

A metamorfose (MANGÁ)
Kafka (Série BIOGRAFIAS) – Gérard-Georges Lemaire
O esplendor da vida: o último amor de Kafka – Michael Kumpfmüller (romance)

FRANZ KAFKA

CARTA AO PAI

EDIÇÃO COMENTADA
Tradução do alemão, organização, prefácio, glossário e notas de MARCELO BACKES

www.lpm.com.br
L&PM POCKET

Coleção **L&PM** POCKET, vol. 371

Texto de acordo com a nova ortografia.

Título do original alemão: *Brief an den Vater*
Edição baseada na edição em fac-símile da S. Fischer Verlag, Frankfurt a. M., 1994.

Primeira edição na Coleção **L&PM** POCKET: julho de 2004
Esta reimpressão: março de 2025

Tradução do alemão, organização, prefácio, glossário e notas: Marcelo Backes
Capa: Ivan Pinheiro Machado
Revisão: Jó Saldanha e Guilherme da Silva Braga

K11m   Kafka, Franz, 1883-1924.
        Carta ao pai / Franz Kafka; tradução de Marcelo Backes.
    – Porto Alegre: L&PM, 2024.
        112 p.; 18 cm. (Coleção L&PM POCKET)

        ISBN 978-85-254-1356-7

        1.Kafka, Franz-Carta Autobiográfica. 2. Kafka, Franz-Memórias.3.Literatura Alemã-Kafka-Carta Autobiográfica. I.Título. II.Série.

                      CDU 928 Kafka
                      821.112.2-94

Catalogação elaborada por Izabel A. Merlo, CRB 10/329.

© da tradução, organização, prefácio, glossário e notas, L&PM Editores, 2004

Todos os direitos desta edição reservados a L&PM Editores
Rua Comendador Coruja, 314, loja 9 – Floresta – 90.220-180
Porto Alegre – RS – Brasil / Fone: 51.3225.5777

Pedidos & Depto. comercial: vendas@lpm.com.br
Fale conosco: info@lpm.com.br
www.lpm.com.br

Impresso no Brasil
Verão de 2025

Sumário

Prefácio 7
   Sobre a tradução... 12
   No Glossário... 15

Carta ao Pai 17

Glossário 98

Cronologia biobibliográfica resumida de
   Franz Kafka.. 104

Prefácio

*Marcelo Backes**

A *Carta ao pai* talvez seja o exemplo mais explícito no sentido de convencer o leitor a dar razão àquilo que Elias Canetti disse em um de seus aforismos: "Por que tu te envergonhas tanto quando lês Kafka? Tu te envergonhas de tua força...". Pois sim, quem é capaz de se ufanar de seus músculos afetivos depois de conhecer Kafka? Num outro aforismo, o mesmo Canetti diria que por causa de Kafka – e depois de Kafka – qualquer bravata, aberta ou disfarçada, se tornou ridícula. E quem é capaz de bravatear, de mostrar jactância depois de ler a *Carta ao pai*?

Em 1919, a carreira literária de Kafka, que de resto jamais chegou perto de alcançar a repercussão de tempos póstumos, estagnara de vez. Com suas obras mais conhecidas já escritas – *A metamorfose* e *O processo*: veja-se, aliás, o trecho da *Carta* em que diz "Minha atividade de escritor tratava de ti [do pai], nela eu apenas me queixava do que não podia me queixar junto ao teu peito" –, Kafka decide arrostar

---

* Marcelo Backes é escritor, tradutor, professor e crítico literário. É doutor em Germanística e Romanística pela Albert-Ludwigs-Universität de Freiburg, e foi professor de literatura brasileira e tradução na mesma universidade. Backes traduziu diversos clássicos da literatura alemã, entre eles obras de Schiller, Goethe, Nietzsche, Kafka e Arthur Schnitzler e organizou e prefaciou vários clássicos das literaturas brasileira e universal.

um dos grandes temas de sua obra: a autoridade paterna. Assinalando a imensa importância da mesma na criação kafkiana, Walter Benjamin percebeu que para Kafka ela é o símbolo das outras autoridades: "O pai é o punidor. A culpa o atrai, como aos funcionários da Justiça. Há muitos indícios de que o mundo dos funcionários e o mundo dos pais são idênticos em Kafka. E a semelhança não os honra. Ela é feita de estupidez, degradação e imundície".[1]

Escrita aos 36 anos – provavelmente entre 10 e 19 de novembro de 1919 –, a *Carta ao pai* marcou a volta de Kafka a Schelesen, junto a Liboch, na Boêmia, onde alguns meses antes conhecera Julie Wohryzek, sua derradeira noiva e mote imediato da carta. O manuscrito tem mais de cem páginas e, concentrado nele, Kafka se fechou mais do que nunca dentro de si mesmo, evitando inclusive as visitas que recebia. A letra grande e cuidada, o texto de poucas correções (ver p. 16) parecem demonstrar que Kafka escreveu a *Carta* na intenção de enviá-la de fato ao pai, coisa que pode ser depreendida também de algumas anotações do autor nos *Diários* e em outras cartas. Kafka pensava poder melhorar a relação com seu pai através da *Carta*, e Max Brod chega a testemunhar que ela foi entregue à mãe. Esta teria se recusado a encaminhá-la adiante e, "provavelmente acompanhada de algumas palavras bondosas, devolveu-a a Franz";[2] sabedora, talvez, de que o marido sequer a leria. Hermann pouco se interessava pelos problemas do filho... Já

---

1. BENJAMIN, Walter: "Franz Kafka". In: *Gesammelte Schriften II – 2*. Org. por Rolf Tiedemann e Hermann Schweppenhäuser. Frankfurt a. M., 1977, p. 411.

2. BROD, Max: *Über Franz Kafka*. Frankfurt a. M., 1966, p. 23.

em 1914, antes das férias, Kafka enviara uma carta aos pais; essa carta o pai a teria entregue, sem abri-la, à mãe, deixando até mesmo de se informar acerca do que ela tratava.[3]

Por que Kafka jamais entregou a *Carta ao pai* a seu destinatário, nunca ficou claro. Se por ventura achou que ele de fato não se interessaria por ela ou se passou a duvidar do valor documental do manuscrito, ficará sendo um mistério. Em duas cartas a Milena, o escritor tcheco estendeu-se na análise de sua *Carta ao pai*. Na primeira delas – de maio de 1920 – escreve: "Se tu algum dia quiseres saber o que era de mim no passado, envio-te a carta gigante de Praga, que escrevi há cerca de meio ano ao meu pai, mas ainda não lhe enviei".[4] Testemunho fiel da verdade, pois! Mas na segunda – do verão de 1920, pouco mais tarde, portanto – Kafka já relativiza o que dissera: "Amanhã enviarei a carta ao pai à tua casa, guarda-a com cuidado, talvez eu ainda decida dá-la algum dia a meu pai. Procura não deixar que alguém a leia. E ao lê-la compreende todas as suas manhas advocatícias; é uma carta de advogado. E não esqueças jamais teu grande 'apesar disso'".[5]

---

3. Ver KAFKA, Franz: *Briefe an Felice und andere Korrespondenz aus der Verlobungszeit*. Org. por Erich Heller e Jürgen Born, Frankfurt a. M., 1967, p. 612.

4. *Dichter über ihre Dichtungen. Franz Kafka*. Org. por Erich Heller e Joachim Beug. München, 1969, p. 100.

5. Idem, p. 100. Indo ainda mais longe – embora a *Carta ao pai* não seja o objeto específico da análise –, Kafka escreveu alhures: "Eu não confio em palavras e cartas, em minhas palavras e cartas, eu quero dividir meu coração com pessoas, mas não com fantasmas, que brincam com as palavras e leem cartas com a língua de fora. Não dou confiança sobretudo a cartas" (Ibidem, p. 165).

Baseados nessa última consideração, muitos dos comentadores da obra de Kafka passaram a valorizar a *Carta ao pai* apenas pelo seu lado literário, desconhecendo – às vezes – seu caráter autobiográfico. Se Kafka considerou sua carta "advocatícia", isso não significa que ela trata de inverdades, mas sim de verdades retrabalhadas sob o ponto de vista de alguém que tenta – a todo custo – se justificar diante de um tribunal, o maior dos tribunais, o tribunal paterno... num processo dirigido não apenas contra seu pai, mas contra o mundo e contra si mesmo!

Porém é o pai – um verdadeiro catálogo de seus erros na educação do filho é estendido à frente do leitor – que aparece debruçado em toda a sua inteireza sobre o mapa-múndi, numa imagem que lembra as brincadeiras bem mais tardias de Charles Chaplin com o Grande Ditador; é a sua presença avassaladora que faz o filho proclamar: "Da tua poltrona, tu regias o mundo" e chamá-lo de tirano, de regente, de rei e de Deus.[6] Há exageros, claro – coisa que o próprio autor

---

6. Pra lá de interessante, nesse sentido, o fato de Ricardo Piglia ter inventado um encontro ficcional entre Kafka e Hitler em *Respiración artificial*. No "romance", Piglia especula leituras comuns e até mesmo uma série de conversas no Café Arcos, em Praga, entre os anos de 1909 e 1910. A "tese" de Piglia é que Hitler chegou a influenciar Kafka com seus discursos inflamados, que só o horror inspirado por aquilo que o fracassado pintor austríaco planejava poderia ter originado uma obra tão sagaz na caracterização de um mundo convertido em uma imensa colônia penitenciária. Piglia inventa ainda que Hitler – esse propagandista do delírio – inspirou a criação do personagem de *Descrição de uma luta* (*Beschreibung eines Kampfes*) e diz que se Kafka usou a palavra *Ungeziefer* (inseto daninho) para caracterizar o inseto de *A metamorfose* – e *Ungeziefer* não aparece apenas em *A metamorfose*, conforme o leitor da

reconhece –, e floreios retóricos. Kafka era advogado, leitor apaixonado das cartas de Kleist, Hebbel, Flaubert, e a objetividade da consideração jamais foi seu forte. Mas há também a luta honesta, típica da obra kafkiana, que Peter Handke detectou num dos aforismos de *A história do lápis*: "Percebo que Kafka lutou por cada frase, e sobretudo pela continuação de cada frase". E estamos lendo uma autobiografia, não há a menor dúvida... Em vez de interpretar a obra a partir do complexo de Édipo, no entanto, o mais interessante talvez fosse interpretar o complexo de Édipo a partir da obra. Ademais, assim como em seus romances, é o próprio Kafka – e Benjamin já o havia constatado – que está no "centro" de sua obra.[7]

Se *A carta ao pai* alcançou o valor de documento literário de altíssimo valor estético, ao contrário do que acontece com muita obra no reino viciado da autobiografia, foi porque Kafka tinha o que dizer, porque – e mais uma vez cito Benjamin – todos seus livros são "narrativas grávidas de uma moral que jamais dão à luz",[8] porque entre todos os escritores Kafka foi – e mais uma vez cito Canetti – "o maior especialista do poder".[9] Que sua carta é exemplar,

---

(cont.) *Carta ao pai* poderá verificar –, era a mesma palavra que os nazistas usavam para designar aqueles que eram detidos em campos de concentração. E a "invenção", aliás genial, de Piglia não para por aí...

7. BENJAMIN, Walter: "Beim Bau der chinesischen Mauer ". In: *Gesammelte Schriften II – 2*. Org. por Rolf Tiedemann e Hermann Schweppenhäuser. Frankfurt a. M., 1977, p. 677.

8. Idem, p. 679.

9. CANETTI, Elias: "Der andere Prozeß. Kafkas Briefe an Felice." In: *Das Gewissen der Worte*. München, 1969, p. 86.

que ela expõe um rompimento que é, também, o resultado do conflito intransponível entre duas gerações de judeus (o processo é analisado mais estendidamente ao longo das notas de rodapé) é apenas mais um testemunho do engenho grandioso do escritor...

Sobre a tradução

Para esta nova tradução da *Carta ao pai* não pude deixar de fazer uso de várias traduções – em várias línguas – da obra de Kafka, sobretudo da tradução de Modesto Carone, editada pela Companhia das Letras. Além do prefácio, ofereço ao leitor uma série de notas de rodapé – que são numerosas e imensas, mas o leitor pode bem desprezá-las, se achar conveniente –, nas quais comento algumas passagens do texto, muitas vezes relacionando-as à obra de Kafka, mais um glossário, que será esclarecido de maneira particular ao final deste, e uma cronologia biobibliográfica resumida de Franz Kafka.

A edição alemã que usei é a edição em facsímile da S. Fischer Verlag, que traz o manuscrito do autor e a partir dele compõe o texto definitivo da obra, referindo as pequenas diferenças que traz em relação ao texto cristalizado da *Carta ao pai*. Na presente tradução, as mesmas também são marcadas nas notas de rodapé.

O leitor atento poderá observar o esforço do tradutor no sentido de manter a dicção kafkiana, que por vezes estica a frase até não poder mais antes de lhe apor um ponto final. Frases curtas são, muitas vezes, veículos de ideias curtas, e Kafka sabia disso...

Quando a confusão era grande, substituí uma vírgula por um ponto e vírgula; pelo ponto final jamais. Até porque Kafka às vezes desce o martelo de uma afirmação taxativa em uma frase de três palavras, cuja força iria visitar o brejo sem a oposição corrente da frase longa, típica da carta.

Nos tempos de hoje, o tradutor deixou de ser – inclusive no Brasil, e se por vezes não deixou, deveria ter deixado – um intérprete das expectativas do leitor. Ele já não alisa mais as passagens salientes, não elimina os trechos chocantes, não nacionaliza especificidades culturais e não se preocupa com um português bem-talhado e independente do estilo do original...

Consciente disso, esta tradução tem consciência também das diferenças linguísticas e culturais e tenta deixar transparentes as peculiaridades estilísticas do original, suas estruturas sintáticas por vezes incomuns. Mais que levar a obra ao leitor, ela tenta levar o leitor à obra – seguindo o ensaio de Schleiermacher[10] sem dar atenção a algumas de suas tiradas mitificantes –, consciente de que a atenção ao receptor nem sequer contribui ao conhecimento da obra, conforme ensinou Walter Benjamin.[11] Esta tradução procura não sacrificar a especificidade da obra aos limites do leitor em busca da legibilidade, não faz de gato e sapato o autor tcheco-alemão para adaptá-lo ao gosto do público brasileiro.

---

10. SCHLEIERMACHER, Friedrich: "Ueber die verschiedenen Methoden des Uebersetzens". In: *Sämtliche Werke*. Dritte Abteilung. Zur Philosophie. Volume 2. Berlin 1838.

11. BENJAMIN, Walter: "Die Aufgabe des Übersetzers". *Schriften*. Volume I. Editado por Theodor W. Adorno e Gretel Adorno. Frankfurt a. M., 1955.

Assim, a opção pela segunda pessoa do singular, que no Brasil é usual apenas em alguns Estados, objetiva, entre outras coisas, aproximar a tradução do original, conforme reivindicou o já citado Walter Benjamin. Afinal de contas, se Kafka não é gaúcho, também não é paulista; e o original é todo ele na segunda pessoa... Ademais – e isso é um complicador de ordem prática –, a terceira pessoa do singular é muito distante e muitas vezes "indetermina" o verbo, obrigando o leitor a voltar ao contexto para ver a quem o mesmo verbo se refere. Quer dizer, quando conjugada, a terceira pessoa muitas vezes se confunde com a primeira pessoa ou com terceiros envolvidos na narrativa, coisa que no original não acontece. Por exemplo, "eu podia", "você podia", "ele podia", "o cão podia", "o salário podia"; mas só "tu podias"... E não é nem uma nem duas vezes que isso acontece. O tu evita o problema e dá à tradução a clareza sempre direta e por vezes até agressiva do original.

E ainda, se as frases típicas do Brasil literário contemporâneo são curtas – e retomo o que já encetei anteriormente –, nem por isso despedaço Kafka enchendo seu texto de pontos... Se Kafka usa *Urteil* (veredicto) em alguma passagem, se usa *Ungeziefer* (inseto daninho) em outra, considero que não é por acaso, dado o vigor – quase conceitual – que essas palavras assumem ao longo de sua obra... E lembro de Racine, que espalhou o adjetivo *noir* ao longo de *Phèdre* a ponto de fazer dele um fio condutor da tragédia – *flamme noire*, *noirs pressentiments*, *noirs amours*, *mensonge noir*, *action noire* etc. – e foi dilacerado por muito tradutor no mundo inteiro, que meteu sua bronca interpretativa e traduziu o *noir* aqui por negro, ali por preto e acolá por sinistro...

No Glossário...

... o leitor encontrará todos os nomes referidos no texto – da parentela de Kafka aos lugares em que viveu –, mais as expressões estrangeiras – vide *pawlatsche* ou *meschugge* – etc. Tudo explicado e referenciado da melhor maneira possível, no objetivo de servir de apoio à leitura crítica da *Carta ao pai*. Sempre que calhar, as referências serão ampliadas. Por exemplo, quando se fala de Karl Hermann – cunhado de Kafka –, será referida também a fábrica de asbesto na qual o pai de Kafka investiu, possibilitando trabalho tanto para o genro quanto para o filho; quando se fala da já citada *pawlatsche*, será explicado também o trauma da porta trancada – citado no mesmo trecho –, que aparece referido em vários momentos da obra kafkiana.

Ademais, é necessário dizer que tanto o glossário quanto as notas de rodapé só foram possíveis com a ajuda da bibliografia indicada aqui e ali, que passa pela obra de Kafka, abrange seus *Diários* e *Cartas* e chega aos comentários de vários críticos que se ocuparam de sua obra.

Liebster Vater,

Du hast mich letzthin einmal gefragt, warum ich behaupte, ich hätte Furcht vor Dir. Ich wußte Dir, wie gewöhnlich, nichts zu antworten, zum Teil eben aus der Furcht, die ich vor Dir habe, zum Teil deshalb, weil zur Begründung dieser Furcht zu viele Einzelheiten gehören, als daß ich sie im Reden halbwegs zusammenhalten könnte. Und wenn ich hier versuche Dir schriftlich zu antworten, so wird es doch nur sehr unvollständig sein, weil auch im Schreiben die Furcht und ihre Folgen mich Dir gegenüber behindern und weil die Größe des Stoffs über mein Gedächtnis und meinen Verstand weit hinausgeht.

Dir hat sich die Sache immer sehr einfach dargestellt, wenigstens soweit Du vor mir und, ohne Auswahl, vor vielen andern davon gesprochen hast. Es schien Dir etwa so zu sein: Du hast

CARTA AO PAI

Schelesen

Querido pai,[1]

Tu me perguntaste recentemente por que afirmo ter medo de ti. Eu não soube, como de costume, o que te responder, em parte justamente pelo medo que tenho de ti, em parte porque existem tantos detalhes na justificativa desse medo, que eu não poderia reuni-los no ato de falar de modo mais ou menos coerente. E se procuro responder-te aqui por escrito, não deixará de ser de modo incompleto, porque também no ato de escrever o medo e suas

---

1. No manuscrito, Kafka se dirige ao pai com a expressão *Liebster Vater*. *Liebster* é o superlativo sintético absoluto de *Lieber* (querido), usado correntemente nas cartas entre conhecidos. Na versão datilografada – bem mais tardia – do texto, Kafka usa apenas *Lieber Vater* e não indica o lugar em que escreveu a carta: Schelesen, distante 60 quilômetros, junto ao rio Elba, ao norte de Praga, onde chegou em 4 de novembro de 1919. Essas são as únicas diferenças fundamentais entre a versão manuscrita e a versão datilografada da carta. O fato de ter datilografado a carta, depois de não tê-la entregue nem ao pai nem a Milena – conforme prometera –, parece evidenciar que Kafka passou, com o tempo, a valorizar sobretudo o caráter literário da *Carta*. (N.T.)

consequências me atrapalham diante de ti e porque a grandeza do tema ultrapassa de longe minha memória e meu entendimento.

Para ti a questão sempre se apresentou bem simples, pelo menos enquanto falaste dela diante de mim e, sem cuidar a quem, diante de muitos outros. Para ti as coisas pareciam ser mais ou menos assim: trabalhaste pesado durante tua vida inteira, sacrificaste tudo pelos teus filhos, e sobretudo por mim, enquanto eu "vivi numa boa" por conta disso, gozei de toda a liberdade para estudar o que bem quisesse, não precisei ter nenhuma preocupação com meu sustento e portanto nenhuma preocupação, fosse qual fosse;[2] não exigiste gratidão em troca disso, tu conheces "a gratidão de teus filhos", mas pelo menos um pouco de boa vontade, algum sinal

---

2. Em carta de 30 de dezembro de 1917 à irmã Ottla, Kafka esclarece ainda mais seu ponto de vista: "Ele não conhece outra prova que não a da fome, da falta de dinheiro e talvez ainda da doença; reconhece que nós ainda não passamos pelas primeiras, que sem dúvida são difíceis, e por isso se dá ao direito de nos proibir a liberdade de usar a palavra" (KAFKA, Franz: *Briefe an Ottla und die Familie*. Org. por Hartmut Binder e Klaus Wagenbach. Frankfurt a. M. 1974, p. 50). Quanto ao medo do pai, referido anteriormente, Kafka já o anunciara bem cedo, em carta a Felice Bauer: "Eu já te disse alguma vez que admiro meu pai? Que ele é meu inimigo e eu dele, conforme nossas naturezas o determinaram, isso tu sabes, mas além disso minha admiração por sua pessoa talvez seja tão grande quanto meu medo diante dele" (KAFKA, Franz: *Briefe an Felice und andere Korrespondenz aus der Verlobungszeit*. Org. por Erich Heller e Jürgen Born, Frankfurt a. M., 1967, p. 452). (N.T.)

de simpatia;[3] em vez disso eu sempre me encafuei[4] de ti em meu quarto, com meus livros, com amigos malucos, com ideias extravagantes; falar de maneira aberta contigo eu jamais falei, no templo[5] jamais fui ao teu encontro, em Franzensbad jamais te visitei e aliás jamais tive senso de família, não me importei com o negócio nem com teus demais assuntos, a fábrica eu joguei às tuas costas e depois te abandonei,[6]

---

3. Nos diários Kafka escreve: "Os pais que esperam gratidão de seus filhos (inclusive há os que a exigem) são como agiotas; eles até gostam de arriscar seu capital, contanto que recebam juros por ele" (KAFKA, Franz: *Tagebücher 1910-1923*. Org. por Max Brod. New York e Frankfurt a. M., 1951, p. 443). (N.T.)

4. O verbo usado por Kafka é *sich verkriechen*, que significa "esconder-se", mas é uma variação prefixada do verbo *kriechen* (rastejar), usado constantemente para descrever os movimentos do inseto de *A metamorfose* (Die Verwandlung). As "ideias extravagantes" referidas a seguir provavelmente sinalizem para os trabalhos de jardinagem de Kafka, que voltarão – mais uma vez tangencialmente – a ser referidos mais tarde. (N.T.)

5. Exatamente aqui, no manuscrito da *Carta*, Kafka faz uma inserção a lápis, que não pertence ao texto da carta em si, mas é destinada a comentá-la antes do envio a Milena – coisa que não aconteceu, ao final das contas. O trecho diz o seguinte, e a primeira parte da frase aparece riscada: "~~Isso é dever da criança~~, eu bem quis escrever tais esclarecimentos, Milena, mas eu não consigo me superar a ponto de ler a carta mais uma vez para fazê-lo; a questão principal fica, mesmo assim, compreensível". (N.T.)

6. Quando diz "fábrica", Kafka refere-se à fábrica de asbesto de Karl Hermann, cunhado do escritor (ver glossário, com mais detalhes); quando fala em "negócio", refere-se à loja do pai, um armarinho em que eram vendidas linhas, tecidos e quinquilharias; há várias passagens nos *Diários* que deixam claro que Kafka, ao contrário do que é dito no trecho, se preocupava com a loja do pai e que inclusive chegava a

apoiei Ottla em sua teimosia e, enquanto não movo um dedo por tua causa (nem sequer uma entrada de teatro eu trago a ti), faço tudo por estranhos.[7] Se resumires teu veredicto a meu respeito, te darás conta de que não me acusas de nada indecoroso ou mau, é verdade (excetuado talvez meu último propósito de casamento), mas sim de frieza, estranheza, ingratidão. E tu me acusas de tal modo, como se fosse culpa[8] minha, como se eu pudesse, com uma guinada no volante, por exemplo, conduzir tudo para outra direção, ao passo que tu não tens a menor culpa a não ser[9] talvez pelo fato de ter sido demasiado bom para comigo.

Essa tua maneira usual de ver as coisas eu só considero certa na medida em que mesmo eu acredito que não tenhas a menor culpa em nosso alheamento.

(cont.) abri-la e fechá-la quando os pais faziam férias em Franzensbad, no verão. Quando a loja passou por dificuldades financeiras – coisa que é referida mais tarde –, Kafka deu todo o apoio que pôde a seu pai. (N.T.)

7. Kafka escreve *Fremde* (estranhos) e não *Freunde* (amigos), conforme a leitura de Max Brod – ele baseou-se apenas na versão datilografada da *Carta* e desconhecia a existência de um original manuscrito completo da mesma –, que levou junto consigo todos os tradutores antigos de Kafka. (N.T.)

8. Culpa (*Schuld*) é a única palavra que aparece sublinhada no manuscrito inteiro da *Carta ao pai*. O "último propósito de casamento" – citado anteriormente – refere-se à tentativa de casar com Julie Wohryzek (ver glossário). (N.T.)

9. Por descuido, Kafka repete, no manuscrito, o verbo "wäre": "es wäre / wäre denn die, dass Du...". Kafka volta a repetir involuntariamente algum verbete – normalmente em quebra de linha, como no caso anterior, ou em quebra de página – no decorrer da carta. (N.T.)

Mas também eu não tenho a menor culpa. Se eu pudesse te levar a reconhecê-lo, então seria possível, não uma nova vida – que para isso estamos ambos velhos demais –, mas uma espécie de paz, não a cessação, mas pelo menos um abrandamento das tuas intermináveis acusações.

Curiosamente tu tens alguma noção a respeito daquilo que estou querendo dizer. Assim, por exemplo, disseste há algum tempo: "Eu sempre gostei de ti, mesmo que na aparência eu não tenha te tratado como outros pais costumam tratar seus filhos, justamente porque não sei fingir como eles". Ora, pai, no que diz respeito a mim, jamais cheguei a duvidar de tua bondade para comigo, mas considero esta observação incorreta. Tu não consegues fingir, é verdade, mas afirmar, apenas por esse motivo, que os outros pais fingem é ou pura mania de mostrar razão a fim de acabar com a discussão ou – e é isso que de fato acontece, na minha opinião – a expressão disfarçada de que as coisas entre nós não estão em ordem e de que tu ajudaste a provocá-las, mas sem culpa. Se de fato pensas assim, então estamos de acordo.

Naturalmente, não quero dizer que me tornei o que sou apenas através da tua ascendência. Isso seria por demais exagerado (e eu até me inclino a esse exagero). É bem possível que eu, mesmo se tivesse crescido totalmente livre da tua influência, não pudesse me tornar um ser humano na medida em que o teu coração o desejava. É provável que mesmo assim eu me tornasse um homem débil, amedrontado, hesitante, inquieto, nem um Robert Kafka nem um Karl Hermann, mas de todo diferente do que hoje sou, e nós poderíamos suportar um ao outro de forma maravilhosa. Eu teria sido feliz por ter a ti como amigo, como chefe, como tio, como avô, até mesmo (embora já mais hesitante) como sogro. Mas justamente como pai tu foste demasiado forte para mim, sobretudo porque meus irmãos morreram ainda pequenos,[10] minhas irmãs só vieram muito depois e eu tive, portanto, de suportar por inteiro e sozinho o primeiro golpe, e para isso eu era fraco demais.

Compara-nos um com o outro: eu, para expressá-lo de maneira bem atrevida, um Löwy com um certo fundo kafkiano,[11] mas que por certo não é acionado pela vontade de viver, de fazer negócios e de conquistar kafkianas, mas por um aguilhão löwya-

---

10. Kafka nasceu – lembremos – em 03/07/1883. Georg nasceu em 11/09/1885 e morreu, vítima de sarampo, aos seis meses de idade. Heinrich nasceu em 27/09/1887 e morreu de meningite com um ano e meio. Elli nasceria em 22/09/1889, Valli, em 25/09/1890 e Ottla, em 29/10/1892. (N.T.)

11. Kafka usa *Kafka'schen*, que é "kafkiano" em português, ou seja, relativo a Kafka, como goethiano é relativo a Goethe. O argumento da confusão com o "literário" não vale para desclassificar a opção... Hoje em dia, quando querem dizer "kafkiano", os analistas, interessados ou diletantes, usam o mesmo *Kafka'sche* em alemão; quando optam por *kafkaesk* – para o qual temos "kafkaesco" ou "kafkesco" –, por exemplo, para definir uma situação, referem-se ao caráter particular – e praticamente único – assumido pela obra do autor. Ademais, viva o aspecto curioso do fato: a singularidade de Kafka, que nós chamamos "kafkiana", Kafka a credita – pelo menos em termos biológicos – aos Löwy. Por isso em português jamais deveríamos dizer que uma situação – para ficar no mesmo e banal exemplo – é "kafkiana"; deveríamos sempre caracterizá-la como "kafkaesca", para dar a Kafka todo o verdadeiro e peculiar valor de seu alcance. (N.T.)

no, que atua de maneira mais secreta, mais tímida, em outra direção e muitas vezes inclusive cessa de todo. Tu, ao contrário, um verdadeiro Kafka na força, na saúde, no apetite, na potência da voz, no dom de falar, na autossatisfação, na superioridade diante do mundo, na perseverança, na presença de espírito, no conhecimento dos homens, em certa generosidade, naturalmente também com todos os defeitos e fraquezas que fazem parte dessas qualidades, nas quais teu temperamento e por vezes tua cólera te precipitam. Talvez não sejas um Kafka completo em tua visão geral de mundo, pelo menos na medida em que posso comparar-te a tio Philipp, a Ludwig, a Heinrich. Isso é curioso, mas aqui também não vejo com muita clareza. É que eles eram mais alegres, mais dispostos, mais desenvoltos, mais leviano, menos rigorosos do que tu. (Nisso, aliás, herdei muito de ti e administrei a herança bem demais, sem no entanto ter no meu ser os contrapesos necessários conforme tu os tens.) Por outro lado, tu também atravessaste outros tempos no que diz respeito a isso, foste talvez mais alegre, antes de os teus filhos, sobretudo eu, te decepcionarem e oprimirem em casa (pois quando chegavam estranhos, eras diferente) e talvez agora tenhas voltado a ficar mais alegre, uma vez que os netos e o genro te devolveram um pouco daquele calor que os filhos não puderam te dar, a não ser Valli, talvez.

Seja como for, éramos tão diferentes e nessa diferença tão perigosos um para o outro, que se alguém por acaso quisesse calcular por antecipação como eu, o filho que se desenvolvia devagar, e tu, o homem feito, se comportariam um em relação ao outro, poderia supor que tu simplesmente me esmagarias sob os pés, a ponto de não sobrar nada de mim. E isso não chegou a acontecer; o que restou vivo não pode ser calculado, mas talvez tenha acontecido algo ainda pior. Tenho de pedir encarecidamente, no entanto, que não te esqueças de que nem de longe acredito em alguma culpa da tua parte. Tu influíste sobre mim conforme tinhas de influir, só que tens de parar de considerar uma maldade especial da minha parte o fato de eu ter sucumbido a essa influência.

Eu era uma criança medrosa, é claro que apesar disso também fui teimoso, como toda criança é; claro que minha mãe também me estragou com seus mimos, mas não posso acreditar que eu tenha me mostrado difícil de ser conduzido, não posso acreditar que uma palavra amistosa, um pegar pela mão tranquilo, um olhar bondoso não pudesse conseguir de mim tudo o que se queria. No fundo és, pois, um homem bom e brando (o que se segue não vai contradizê-lo, estou falando apenas da aparência com a qual exerces influência sobre a criança), mas nem toda criança tem a resistência e o destemor de procurar tanto quanto for necessário para encontrar a bondade. Tu podes tratar um filho apenas na medida em que tu mesmo foste criado, com força, barulho e cólera, e nesse caso isso te parecia, além do mais, muito adequado, porque querias fazer de mim um jovem forte, corajoso.

É natural que eu hoje em dia não possa descrever de maneira imediata teus métodos pedagógicos nos primeiros anos, mas posso bem imaginá-los por dedução através dos anos posteriores e a partir do modo como tratas Felix. Nesse caso tem de ser considerado o agravante de que naquela época tu eras mais jovem, e por isso mais disposto, mais agitado, ainda mais despreocupado do que hoje e, de que, além disso, estavas inteiramente preso aos teus negócios, mal te apresentavas diante de mim durante o dia e por isso a impressão que me causavas era mais profunda ainda, tanto que ela jamais voltou a se aplainar ao normal.

Diretamente, eu só me recordo de um incidente dos primeiros anos. Talvez também te lembres dele. Eu choramingava certa noite sem parar, pedindo água, com certeza não por sentir sede, mas provavelmente em parte para aborrecer, em parte para me distrair. Depois de algumas severas ameaças não terem adiantado, tu me tiraste da cama, me levaste para a *pawlatsche* e me deixaste ali sozinho, por um bom momento, só de camisola de dormir, diante da porta trancada. Não quero dizer que isso foi errado, talvez na época não tivesse havido outro jeito de conseguir o sossego noturno, mas quero caracterizar através do exemplo teus recursos educativos e os efeitos que eles tiveram sobre mim. Não há dúvida de que a partir daquele momento me tornei obediente, mas fiquei machucado por dentro devido ao fato. Conforme à minha natureza, jamais consegui entender a relação existente entre a naturalidade do ato insensato de pedir por água e o extraordinariamente terrível do ato de ser levado para fora. Mesmo depois de passados anos eu ainda sofria com a ideia torturante de que o homem gigantesco, meu pai, a última instância,[12]

---

12. É este, também, o aspecto do pai "ficcional" de Kafka em narrativas como *A metamorfose* e *O veredicto*, igualmente editadas pela L&PM em tradução minha. Hermann Kafka – assim como todos os Kafkas; o próprio Franz, conforme um protocolo de exame médico, tinha 1m82 e pesava 61kg – era de

pudesse vir quase sem motivo para me tirar da cama à noite e me levar à *pawlatsche* e de que, portanto, eu era um tamanho nada para ele.

Isso foi apenas um pequeno começo na época, mas esse sentimento de nulidade que me domina com frequência (um sentimento que, aliás, visto por outro ângulo pode bem ser nobre e produtivo) surgiu em boa parte por causa da tua influência. Eu teria precisado de um pouco de estímulo, de um pouco de amabilidade, de um pouco de abertura em meu caminho, mas em vez disso tu o obstruíste, por certo com a boa intenção de me fazer percorrer um outro caminho. Mas para isso eu não servia. Tu me encorajavas, por exemplo, quando eu batia continência e marchava com desenvoltura, mas eu não era um futuro soldado,[13] ou tu me encorajavas, quando eu podia me alimentar bem e até beber uma cerveja junto, ou quando eu sabia repetir canções

---

(cont.) estatura elevada. Os pais "ficcionais" de Kafka são, também, a "última instância", conforme pode ser visto sobretudo em *O veredicto*. (N.T.)

13. O pai de Kafka chegou a servir... E, durante a Primeira Guerra Mundial, Kafka chegou a manifestar o desejo de se alistar; sua constante irresolução diante de qualquer decisão a ser tomada mais uma vez fez com que o desejo não se tornasse realidade. A indecisão era sempre avassaladora... Em uma carta a Felice, Kafka chega a declarar: "Eu apenas consigo dar conta das atividades práticas mais simples através de grandiosas cenas sentimentais... Quando quero ir para a direita, vou primeiro para a esquerda e então ambiciono melancolicamente ir para a direita... O motivo principal parece ser o temor: não preciso sentir medo de ir para a esquerda, pois para lá eu nem quero ir, no fundo" (KAFKA, Franz: *Briefe an Felice und andere Korrespondenz aus der Verlobungszeit*. Org. por Erich Heller e Jürgen Born, Frankfurt a. M., 1967, p. 656). (N.T.)

que não compreendia ou arremedar teus discursos prediletos; mas nada disso fazia parte do meu futuro. E é significativo que até hoje tu apenas me encorajes de fato naquilo que te afeta pessoalmente, quando se trata do teu amor-próprio, que eu firo (por exemplo, com meu propósito de casamento) ou que é ferido em mim (quando Pepa me insulta, por exemplo). Então eu sou estimulado, recordado do meu valor, lembrado dos casamentos vantajosos aos quais teria direito,[14] e Pepa é condenado por inteiro. Mas deixando de lado o fato de que hoje, em minha idade, já sou praticamente inacessível a qualquer encorajamento, em que ele haveria de me ajudar, se apenas se manifesta quando não se trata de mim em primeira linha?

Na época, e por tudo na época, eu teria precisado desse encorajamento. É que eu já estava esmagado pela simples materialidade do teu corpo. Recordo-me, por exemplo, de que muitas vezes nos despíamos juntos numa cabine. Eu magro, fraco, franzino, tu forte, grande, possante. Já na cabine eu me sentia miserável e na realidade não apenas diante de ti, mas diante do mundo inteiro, pois para mim tu eras a medida de todas as coisas. Mas quando saíamos da cabine passando pelas pessoas, eu levado pela tua mão, um pequeno esqueleto, inseguro, de pés descalços sobre as pranchas de madeira, com medo da água, incapaz de acompanhar teus movimentos natatórios, que com boas intenções, mas para mi-

---

14. Em todas as traduções que conheço a passagem foi traduzida – e, aliás, interpretada – "erradamente". A expressão alemã *Partie machen* significa "casar com bom partido". (N.T.)

nha profunda vergonha, na realidade, não paravas de me mostrar; nesses momentos eu ficava muito desesperado e todas as minhas experiências ruins em todas as áreas se reuniam, concordantes, umas às outras de maneira grandiosa. Me sentia melhor quando tu algumas vezes te despias primeiro e eu ficava sozinho, podendo adiar a vergonha da aparição pública até o momento em que tu vinhas ver o que estava acontecendo e me tiravas da cabine.[15] Ficava grato porque tu parecias não perceber meus apuros e também sentia orgulho pelo corpo de meu pai. Aliás, essa diferença entre nós persiste ainda hoje de modo semelhante.

A isso correspondia, ademais, tua superioridade espiritual. Tu havias subido tão alto contando apenas com tuas próprias forças, a ponto de teres confiança ilimitada em tua própria opinião. Enquanto criança, isso não se mostrou tão ofuscante para mim quanto mais tarde para o jovem adolescente. Da tua poltrona, tu regias o mundo. Tua opinião era certa, qualquer outra era disparatada, extravagante, *meschugge*, anormal. E tua autoconfiança era tão grande que tu não precisavas de maneira alguma ser consequente e mesmo assim não deixavas de ter razão. Também poderia acontecer de em algum assunto nem sequer

---

15. Em conversa com Dora Diamant, Kafka também descreve uma visita à piscina, feita junto de seu pai: "Tu tens de imaginar a coisa com precisão; aquele homem monstruoso com o pequeno e medroso pacote de ossos na mão, e como nós por exemplo nos despíamos no escuro, dentro da pequena cabine, como ele me puxava para fora porque eu sentia vergonha" (BROD, Max: *Über Franz Kafka*. Frankfurt a. M., 1966, p. 180). (N.T.)

teres opinião e, consequentemente, todas as opiniões possíveis relativas ao assunto eram, necessariamente e sem exceção, erradas. Tu podias, por exemplo, insultar os tchecos, depois os alemães, depois os judeus, na verdade não sob este ou aquele aspecto, mas sob todos, e no final não sobrava mais ninguém além de ti. Tu assumias para mim o caráter enigmático que todos os tiranos possuíam, cujo direito está fundado sobre sua pessoa e não sobre o pensamento. Pelo menos era assim que me parecia.

De modo que, em relação a mim, tu de fato tinhas razão com espantosa frequência; em uma conversa isso era evidente, pois mal chegávamos a conversar; mas também na realidade tu tinhas razão. No entanto nem isso era especialmente incompreensível. É que em todo o meu pensar eu estava sob forte pressão, vinda da tua parte, também naquele que não coincidia com o teu, e particularmente nesse. Todos aqueles pensamentos aparentemente independentes de ti estavam, desde o início, comprometidos pelo teu veredicto[16] desfavorável; suportar tudo isso até a exposição completa e duradoura do pensamento era quase impossível. Não falo aqui de quaisquer pensamentos elevados, mas sim de todos os pequenos empreendimentos da infância. Bastava a gente estar feliz com alguma coisa, sentir-se realizado com ela, chegar em casa e expressá-la, para que a resposta fosse um suspiro irônico, um sacudir negativamente

---

16. A palavra (*Urteil*) que Kafka usa – e inclusive o tom com que se expressa – é a mesma da narrativa *O veredicto (Das Urteil)*: sempre que aparece *Urteil* no original da *Carta*, portanto – e isso já aconteceu uma vez anteriormente –, optei por "veredicto". (N.T.)

a cabeça, um tamborilar de dedos sobre a mesa: "Já vi coisa mais interessante" ou "Bem mo dizes, mas o problema continua sendo teu" ou "Tenho mais com que me preocupar" ou "Nossa, que acontecimento!" ou "Dá pra comprar alguma coisa com isso?". Naturalmente eu não podia exigir de ti entusiasmo por uma ninharia qualquer de criança, vivendo como vivias, cheio de preocupação e trabalho pesado. Nem era disso que se tratava. Tratava-se, muito antes, do fato de que tu precisavas causar essas decepções à criança, sempre e por uma questão de princípio, graças ao teu ser contraditório, e, mais ainda, que essa contradição se fortalecia sem cessar pela acumulação de material, de tal forma que no fim ela acabava se impondo até como costume, mesmo que às vezes tu tivesses opinião igual à minha, e finalmente, já que essas decepções não eram as decepções da vida comum, elas acertavam em cheio, pois isso dizia respeito à tua pessoa, a medida de todas as coisas. A coragem, a determinação, a confiança, a alegria nisso e naquilo não se sustentavam até o fim, quando tu eras contra ou mesmo quando a tua oposição podia ser meramente presumida; e ela podia sem dúvida ser presumida em quase tudo o que eu fazia.

Isso dizia respeito tanto a pensamentos quanto a pessoas. Bastava que eu manifestasse um pouco de interesse por alguém – o que aliás não acontecia com frequência por causa do meu jeito de ser – para que tu, sem qualquer respeito pelo meu sentimento e sem consideração pelo meu veredicto, interviesses logo com insulto, calúnia e humilhação. Pessoas inocentes, ingênuas como, por exemplo, o ator judeu

Löwy tinham de pagar por isso. Sem conhecê-lo, tu o comparaste, de um modo terrível, do qual já me esqueci, com insetos daninhos[17] e, como muitas vezes aconteceu em relação a pessoas que me eram caras, tu automaticamente tinhas à mão o provérbio sobre os cães e as pulgas.[18] Lembro-me aqui do ator em particular, porque anotei as coisas que tu me disseste a respeito dele na época, com uma observação: "É assim que meu pai fala sobre meu amigo (que ele nem sequer conhece) só porque ele é meu amigo. Poderei sempre retrucar, fazendo uso disso, quando ele me recriminar por falta de amor e de gratidão filial". Para mim sempre foi incompreensível tua falta total de sensibilidade em relação à dor e à vergonha que podias me infligir com palavras e veredictos; era como se tu não tivesses a menor noção da tua força. Também eu por certo muitas vezes te magoei

---

17. No original, "*mit Ungeziefer*", que obriga uma expressão plural (com insetos daninhos) mas remete diretamente ao inseto de *A metamorfose*. (N.T.)

18. Referência ao provérbio alemão que diz: "Quem dorme com cães acorda com pulgas". A ascendência de Hermann Kafka sobre o filho era tanta que, mesmo adulto, o autor era tratado como uma criança, conforme o testemunho de Gustav Janouch, um amigo: "Em nosso passeio voltamos a chegar ao Kinsky-Palais quando saiu da loja com os letreiros frontais HERMANN KAFKA um homem alto e largo, de sobretudo escuro e chapéu brilhante. Ele ficou parado a cerca de cinco passos e esperou por nós. Quando nos aproximamos mais três passos, o homem disse, bem alto: 'Franz. Pra casa. O ar está úmido'. Kafka me disse, em voz estranhamente baixa: 'Meu pai. Ele se preocupa comigo. O amor muitas vezes tem o rosto da violência' " (JANOUCH, Gustav: *Gespräch mit Kafka. Aufzeichnungen und Erinnerungen*. Frankfurt a. M., 1968, p. 46). (N.T.)

com palavras, mas depois sempre o reconheci e isso me doía, porém eu não conseguia me controlar, não conseguia refrear as palavras, já me arrependia enquanto as pronunciava. Tu, porém, golpeavas com tuas palavras, sem mais nem menos, não tinhas pena de ninguém, nem durante nem depois; contra ti a gente estava sempre completamente indefeso.

Mas era assim todo o teu método de educar. Creio que tu tens talento de educador, e a uma pessoa da tua índole tu certamente terias sido útil através desse método; ela teria percebido a sensatez daquilo que tu estavas lhe dizendo, não teria se preocupado com nada além disso e dessa maneira levarias as coisas calculadamente a termo. Mas para mim, quando criança, tudo o que tu bradavas era logo mandamento divino, eu jamais o esquecia, e isso ficava sendo para mim o recurso mais importante para poder julgar o mundo, sobretudo para julgar-te a ti mesmo; e nisso o teu fracasso foi completo. Uma vez que em criança, sobretudo na hora das refeições, eu ficava junto de ti, a tua lição era em grande parte uma lição sobre o comportamento correto à mesa. O que vinha à mesa tinha de ser comido, não era permitido falar sobre a qualidade da comida – mas tu muitas vezes achavas a comida intragável; e a chamavas de "boia", que a "besta" (a cozinheira) havia estragado. E porque tinhas, por natureza, um apetite vigoroso e uma predileção especial por comer rápido, quente e em grandes bocados, a criança tinha de se apressar; um silêncio sombrio reinava à mesa, interrompido por admoestações: "Primeiro come, depois conversa" ou "Anda, mais rápido, vamos" ou "Vê, eu já terminei há tempo". A gente não podia partir os ossos com os dentes, tu sim. A gente não podia sorver o vinagre fazendo barulho, tu sim. O principal era cortar o pão bem reto; mas o fato de tu o fazeres com uma faca pingando molho não importava. A gente tinha de prestar atenção para que nenhum resto de comida caísse ao chão, debaixo de ti estava a maior parte no final das contas. Na mesa a gente podia se ocupar apenas da comida, mas tu limpavas e cortavas as unhas, apontavas o lápis, limpavas os ouvidos com o palito de dentes. Por favor, pai, me entenda bem, esses pormenores teriam sido totalmente insignificantes em si; eles só me oprimiam porque o homem que de maneira tão grandiosa era a medida de todas as coisas não atendia ele mesmo aos mandamentos que me impunha. Por causa disso o mundo foi dividido em três partes para mim, uma onde eu, o escravo, vivia sob leis que tinham sido inventadas só para mim[19] e às quais, além disso, não sabia por que, eu nunca podia corresponder plenamente; depois, um segundo mundo, infinitamente distante do meu, no qual tu vivias, ocupado em governar, dar ordens e te irritares com o não cumprimento delas; e finalmente um terceiro mundo, no qual as outras pessoas viviam felizes e livres de ordens e de obediência. Eu vivia sempre na vergonha, ou seguia tuas ordens, o que era uma vergonha, pois elas valiam apenas para mim; ou me mostrava teimoso, o que também era uma vergonha, pois como é que poderia me mostrar teimoso

---

19. Em *O processo* (*Der Prozess*) os guardas da porta também dizem que a entrada para o tribunal havia sido destinada só para Josef K. (N.T.)

diante de ti?, ou então não podia obedecer porque, por exemplo, não tinha a tua força, o teu apetite, a tua destreza, embora tu exigisses isso de mim como algo natural; mas esta era, com certeza, a vergonha maior. Desse modo se moviam não as reflexões, mas os sentimentos da criança.

Minha situação na época talvez fique mais clara se eu a comparar com a de Felix. Tu o tratas de maneira semelhante, até mesmo empregas contra ele um método de ensino particularmente terrível, na medida em que, quando ele faz alguma coisa que na tua opinião não parece limpa, tu nem te contentas em dizer o que antigamente dizias a mim: "Tu és um grande porco", mas ainda acrescentas, "um autêntico Hermann" ou "igualzinho a teu pai". No fundo, porém, talvez – mais do que "talvez" não se poderia dizer –, isso não prejudique Felix de verdade, pois para ele tu és apenas o avô; embora importante de maneira especial, sem dúvida não és tudo como foste para mim; ademais Felix é um caráter calmo e já agora, de certo modo, viril, que talvez se deixe aturdir, mas por certo não comandar por muito tempo, por uma voz de trovão; antes de tudo, ele só fica contigo relativamente pouco e está sob outras influências; para ele tu és muito mais algo querido e bizarro, do qual ele pode escolher o que quiser levar. Para mim tu não eras uma coisa bizarra, eu não podia escolher, tinha de levar tudo.

E ainda sem poder argumentar nada, pois te é de antemão impossível falar com serenidade sobre uma coisa com a qual não estás de acordo ou que simplesmente não parta de ti; teu temperamento dominador não o permite. Nos últimos anos tu explicas isso pelo teu nervosismo cardíaco; eu não saberia dizer se tu alguma vez foste diferente de verdade, posso concordar no máximo que o nervosismo cardíaco é um meio para o exercício mais estrito da dominação, já que a lembrança da doença deve sufocar nos outros a última réplica. Isso naturalmente não é uma censura, apenas a constatação de um fato. Por exemplo, com Ottla: "A gente não pode nem falar com ela e ela já vai pulando no pescoço da gente", tu costumas dizer, mas na verdade ela está longe de fazer isso; tu confundes a coisa com a pessoa; é a coisa que pula no teu pescoço e imediatamente tu tomas uma decisão sobre ela, sem ouvir a pessoa; o que alguém argumentar depois disso só pode irritar-te ainda mais, jamais convencer-te. Ouve-se então apenas o seguinte: "Faze o que quiseres; por mim, és livre; já és maior de idade; eu não tenho nenhum conselho a te dar" e tudo isso no quase sussurro, terrível e rouco, da ira e da condenação completa, diante do qual eu hoje só tremo menos do que na infância porque o sentimento de culpa exclusivo da criança em parte foi substituído pela compreensão do nosso desamparo comum.

A impossibilidade da relação tranquila teve uma outra consequência, muito natural no fundo: eu desaprendi a falar. Por certo eu não teria sido, sendo outro o contexto, um grande orador, mas sem dúvida teria dominado a linguagem humana corrente e comum. Mas tu me proibiste a palavra desde cedo, tua ameaça: "Nenhuma palavra de contestação!" e a mão erguida para sublinhá-la me acompanham desde então. Adquiri junto de ti – és, quando se trata de tuas coisas, um orador excelente – um modo de falar entrecortado, gaguejante, e também isso era demais para ti, de modo que por fim calei, primeiro por teimosia talvez, mais tarde porque diante de ti eu não conseguia pensar nem falar.[20] E uma vez que eras meu educador verdadeiro, isso repercutiu por tudo em minha vida. É sobretudo um curioso equívoco tu acreditares que nunca me submeti à tua vontade. "Sempre do contra, em tudo" está longe de ser meu princípio de vida diante de ti, conforme acreditas e do que me acusas. Pelo contrário: se eu tivesse obedecido menos, tu por certo estarias muito mais satisfeito comigo. O fato é que as tuas medidas educativas acertaram o alvo; não me esquivei a nenhuma investida da tua parte; assim como sou (naturalmente não levando em conta os fundamentos e influências da vida), sou o resultado da tua educação e da minha obediência. Que esse resultado mesmo assim seja penoso para ti, que tu inclusive te recuses inconscientemente a reconhecê-lo como produto da tua educação, se deve justamente ao fato de que a tua mão e o meu material eram tão estranhos um para o outro. Tu dizias: "Nenhuma palavra de contestação!"

---

20. Max Brod observa que Kafka gaguejava apenas diante do pai ("Kafka. Father and son". In: *The literary imagination. Psycoanalysis and the genius of the writer.* Org. por H. M. Ruitenbeek. Chicago, 1965, p. 87). Em *O veredicto*, Georg Bendemann também fica confuso e não consegue se articular direito diante do pai. No conto – assim como na *Carta* –, o amor também só pode ser alcançado através do sacrifício do filho, que toma sobre suas costas toda a culpa; em ambas as obras o pai aparece como o juiz mais alto sobre uma vida que é, sob todos os aspectos, frágil... (N.T.)

e querias com isso fechar a boca das desagradáveis forças opostas a ti que existiam em mim, mas essa influência era demasiado forte para mim, eu era demasiado obediente e calava de todo, me escondia de ti e só ousava me mexer quando estava tão distante a ponto de o teu poder não mais me alcançar, pelo menos diretamente. Mas tu estavas em pé diante de mim e tudo te parecia ser novamente "do contra", quando era apenas a consequência natural da tua força e da minha fraqueza.

Teus recursos oratórios, eficazes ao extremo e jamais falhos, pelo menos no que diz respeito a mim, eram: insultar, ameaçar, ironia, riso malvado e – curiosamente – autoacusação.

De teres me insultado diretamente e com palavrões explícitos, eu não consigo me lembrar. Também não era necessário, tu dispunhas de vários outros meios nas conversas em casa e, especialmente na loja, os palavrões voavam para cima das outras pessoas ao meu redor em tal quantidade que quando era garoto eu ficava quase anestesiado e não tinha motivo algum para não relacioná-los também a mim, pois as pessoas que insultavas por certo não eram piores do que eu, e sem dúvida tu não estavas muito mais insatisfeito com elas do que comigo. E também nisso se manifestava mais uma vez tua enigmática inocência e tua intocabilidade: praguejavas sem te importares com isso, no entanto condenavas os praguejamentos quando vinham de outros e os proibias.

Reforçavas os praguejamentos com ameaças e então isso já valia também para mim. Era terrível para mim, por exemplo, aquele: "Vou fazer picadinho de ti",²¹ embora eu soubesse com certeza que nada de mais grave haveria de acontecer (quando pequeno, no entanto, eu não o sabia); mas quase correspondia à noção que eu tinha de teu poder, o fato de que tu também eras capaz de chegar a tanto. Também era terrível quando tu corrias gritando em volta da mesa a fim de agarrar a gente; era evidente que tu não querias nos agarrar, mas agias como se o quisesses, e parecia que minha mãe finalmente chegava para salvar a gente. Mais uma vez, era o que ficava parecendo à criança, a gente continuava vivo por causa da tua misericórdia e levava a vida adiante como se fosse um presente imerecido que nos davas. Faziam parte desse quadro também as ameaças decorrentes da desobediência. Quando eu começava a fazer alguma coisa que não te agradava e tu me ameaçavas com o fracasso, então o respeito pela tua opinião era tão grande que com ele o fracasso era inevitável, mesmo que só ocorresse em uma época posterior. Perdi a confiança nos meus próprios atos. Tornei-me instável, indeciso. Quanto mais velho ficava, tanto maior era o material que tu podias levantar como prova da minha falta de valor; aos poucos passaste a ter, de certa maneira, razão de

---

21. No original alemão: *"ich zerreisse Dich wie einen Fisch"*, que, traduzido *ipsis verbis*, significa "vou te arrebentar como a um peixe". A referência do original é importante na medida em que Kafka fez uso da imagem também em outros momentos de sua obra. Depois de constatar a doença nos pulmões, Kafka chega a dizer nos *Diários* que, se o pai sempre ameaçou arrebentá-lo "como a um peixe" – embora jamais tivesse posto um dedo nele, segundo o próprio Kafka –, agora a ameaça se concretizava sem a interferência do pai. (N.T.)

fato. Mais uma vez, guardo-me de afirmar que só por causa de ti me tornei assim; tu apenas reforçaste o que já existia, mas tu o reforçaste tanto justamente porque diante de mim tu eras muito poderoso e aplicaste nisso todo o teu poder.

Tu tinhas confiança especial na educação pela ironia; era ela a que melhor correspondia à tua superioridade sobre[22] mim. Em ti, uma advertência tinha comumente a seguinte forma: "Não podes fazer isso assim ou assado? Será que isso já é demais pra ti? Pra isso naturalmente não tens tempo?" e assim por diante. E cada uma dessas perguntas era acompanhada por um riso irritado e uma cara feia. De certa maneira a gente já se sentia punido antes mesmo de saber que havia feito algo errado. Eram provocadoras também as repreensões em que a gente era tratado na terceira pessoa, ou seja, como alguém indigno até da interpelação irritada, através da qual te dirigias formalmente à mamãe, mas na realidade a mim, que estava sentado junto, por exemplo ao dizer "Naturalmente não se pode exigir isso do senhor seu filho" e coisas do tipo. (A contrapartida para isso foi que eu, por exemplo, não ousava e mais tarde nem sequer cogitava te fazer perguntas diretas quando mamãe estava presente. Era muito menos arriscado para o filho perguntar por ti à mãe sentada ao teu lado; e então a gente perguntava: "Como é que está papai?", garantindo-se, assim, diante de eventuais surpresas.) Evidentemente também havia casos em que se estava

---

22. O pleonasmo linguístico ocorre também no original – *Überlegenheit über mich* – e por certo é intencional, no sentido de reforçar a referida ascendência do pai sobre o filho. (N.T.)

de inteiro acordo com a ironia mais atroz, quando ela dizia respeito a outra pessoa, por exemplo, a Elli, com quem estive bravo durante anos. Era para mim uma festa da maldade e da satisfação com a desgraça alheia, quando quase em cada almoço eu ouvia a respeito dela algo como: "Ela tem de sentar dez metros distante da mesa, essa moçoila espaçosa" e quando tu, então, irritado em tua cadeira, sem o menor vestígio de amabilidade ou de capricho, mas sim na atitude de um inimigo encarniçado, procuravas imitar, de modo exagerado, a maneira como ela sentava, extremamente repulsiva para o teu gosto. Com que frequência esta e outras coisas semelhantes tiveram de se repetir e quão pouco tu alcançaste na prática com elas. Acredito que isso se deva ao fato de que o dispêndio de ira e irritação não parecia ser proporcional à coisa propriamente dita; não havia o sentimento de que a ira tivesse sido provocada por aquela ninharia de sentar-se longe da mesa, mas que ela existia de antemão em toda a sua grandeza e que a atitude só por acaso fora tomada como pretexto para desencadeá-la. Uma vez que se estava convencido de que o pretexto seria encontrado de qualquer jeito, não havia nenhuma preocupação especial com a conduta; além do que a gente se tornava insensível com as constantes ameaças, uma vez que aos poucos já se estava quase seguro de que ninguém iria apanhar. A gente se tornava uma criança rabugenta, desatenta, desobediente, sempre pensando em uma fuga, na maior parte das vezes em uma fuga interior. Assim tu sofrias, assim sofríamos nós. Do teu ponto de vista, tinhas toda a razão quando, com os dentes cerrados e o riso gorgolejante, que haviam transmitido à criança, pela primeira vez, noções do inferno, costumavas dizer (conforme ainda recentemente o fizeste a respeito de uma carta de Constantinopla): "Isso sim é que é companhia!".

Em completo desacordo com essa tua postura diante de teus filhos parecia ser o fato de que tu te lamentasses publicamente, o que acontecia com bastante frequência. Admito que quando criança eu não tinha (mais tarde até sim) sentimento algum em relação a isso e não entendia como podias, de algum modo, esperar que alguém se condoesse de ti. Tu eras tão gigantesco em todos os sentidos, que interesse podias ter pela nossa comiseração ou simplesmente pela nossa ajuda? Na realidade devias desprezá-las assim como desprezavas a nós. Por isso eu não acreditava nas queixas e procurava por trás delas alguma intenção secreta. Apenas mais tarde compreendi que tu de fato sofrias muito por causa dos filhos, mas naquela época, em que as lamentações poderiam, sendo diferentes as circunstâncias, encontrar uma resposta infantil aberta, desprevenida, disposta a qualquer ajuda, elas só poderiam ser, para mim, novos meios mais que manifestos de ensino e humilhação, não muito fortes como tais, mas com o efeito secundário nocivo de que a criança se acostumava a não levar a sério exatamente aquilo que deveria levar a sério.

Felizmente também havia exceções a isso, na maior parte das vezes quando tu sofrias em silêncio e o amor e a bondade superavam com sua força qualquer oposição e comoviam de maneira imediata. Embora isso fosse raro, era maravilhoso. Por exemplo, quando nas tardes quentes de verão eu te via dormir um pouco na loja, cansado, depois do almoço, com os cotovelos apoiados no balcão, ou quando tu chegavas aos domingos, estafado, para visitar-nos nas férias de verão; ou a vez em que, mamãe estando gravemente doente, tu te apoiaste nas estantes de livros, trêmulo de tanto chorar; ou quando, na minha última doença,[23] tu vieste em silêncio me ver no quarto de Ottla, ficaste parado na soleira da porta, apenas esticaste o pescoço para me avistar na cama e, por consideração, só fizeste um cumprimento com a mão. Nesses momentos a gente ia se deitar e chorava de felicidade, e chora ainda agora enquanto escreve.

Tu tens também um jeito de sorrir particularmente bonito, bem raro de se ver, um sorriso tranquilo, satisfeito, afável, que pode fazer feliz aquele a quem se dirige. Não consigo me lembrar de que ele tivesse sido concedido expressamente a mim na infância, mas isso sem dúvida deve ter acontecido, pois tu não terias por que tê-lo negado a mim na época, uma vez que eu ainda te parecia inocente e era tua grande esperança. Aliás, também essas impressões amáveis não lograram outra coisa a não ser aumentar a minha consciência de culpa com o tempo e tornar o mundo ainda mais incompreensível para mim.

Eu preferia deter-me ao que era concreto e duradouro. Apenas para me impor um pouco diante de ti, em parte também por uma espécie de vingança,

---

23. Referência à grave gripe de Kafka, que quase o levou à morte em outubro de 1918. (N.T.)

logo passei a observar, colecionar e exagerar pequenas ridicularias que notava em ti, por exemplo, o jeito como te deixavas deslumbrar por pessoas na maior parte das vezes apenas aparentemente em posição mais elevada, das quais tu podias contar coisas sem parar, por exemplo algum conselheiro imperial ou alguém do gênero (por outro lado, esse tipo de coisa me doía, pelo fato de que tu, meu pai, acreditavas precisar dessas confirmações fúteis do teu valor e por te gabares delas). Ou contemplar tua predileção por frases indecorosas, de preferência pronunciadas em voz alta, das quais tu rias como se tivesses dito alguma coisa particularmente brilhante, quando na verdade se tratava apenas de uma indecência vulgar e insignificante (contudo isso era ao mesmo tempo uma nova manifestação da tua força vital que me envergonhava). É natural que houvesse uma grande variedade de observações como essas, e eu ficava feliz com elas, pois me davam pretexto para mexericos e brincadeiras; por vezes tu os percebias e te zangavas com isso, tomando-os por maldade, falta de respeito; porém, podes acreditar, para mim não eram outra coisa senão um meio, aliás, inoperante, de autoconservação, eram gracejos como os que se espalham sobre deuses e reis, gracejos que não apenas se uniam ao mais profundo respeito, como até faziam parte dele.

Ademais, tu também tentaste uma espécie de contra-ataque, adequado à tua situação semelhante diante de mim. Costumavas apontar como as coisas iam exageradamente bem para mim e como, de fato, eu era bem tratado. É verdade, mas não creio que nas circunstâncias existentes no caso isso tivesse ajudado alguma coisa.

É certo que minha mãe era de uma bondade ilimitada comigo, mas para mim tudo isso estava relacionado a ti, ou seja, em uma relação nada boa. Inconscientemente ela exercia o papel do batedor na caça. Se em alguma hipótese improvável tua educação, através da obstinação, da antipatia, ou até mesmo do ódio engendrado tivesse me tornado independente, então mamãe restabeleceria o equilíbrio pela bondade, pelo discurso sensato (na confusão da infância ela era o protótipo da razão), pelos rogos, e eu me veria trazido mais uma vez de volta à tua órbita, da qual em outro caso talvez tivesse me evadido para vantagem tua e minha. Ou então ocorria que não se chegava a nenhuma reconciliação de fato, que mamãe me protegia de ti às escondidas e me dava alguma coisa em segredo, inclusive sua permissão para alguma coisa; aí eu me tornava de novo, diante de ti, a criatura que teme a luz, que engana, que está consciente da própria culpa, alguém que por causa da própria nulidade só pode chegar àquilo que considera o seu direito por caminhos furtivos. Naturalmente que então também me acostumei a procurar nesses caminhos aquilo a que não tinha direito em minha opinião. E isso significava, outra vez, um crescimento da consciência de culpa.

Também é verdade que tu nunca bateste em mim de fato. Porém os gritos, o vermelhão do teu rosto, o gesto de tirar a cinta e deixá-la pronta no espaldar da cadeira eram quase piores para mim. É como quando alguém será enforcado. Se ele realmente é enforcado, morre e acaba tudo. Mas se tem de presenciar todos os preparativos para o enforcamento e só fica sabendo do indulto quando o laço pende diante de seu rosto, nesse caso ele talvez venha a sofrer a vida inteira por causa disso.[24] Além do mais, nas muitas vezes em que, na tua opinião declarada, eu teria merecido uma surra mas escapara por um triz em virtude da tua clemência, se acumulava de novo um grande sentimento de culpa. Por todos os lados eu acabava culpado sob teus olhos.

Desde sempre tu me acusaste (e tanto apenas diante de mim quanto frente a outros; para a humilhação que isso representava tu não tinhas sensibilidade, os assuntos dos teus filhos eram sempre assuntos públicos) de, graças ao teu trabalho, viver sem qualquer privação, na tranquilidade, no calor do lar e na fartura. Estou pensando em certas observações que literalmente devem ter lavrado sulcos em meu cérebro, como: "Aos sete anos eu já tinha de puxar a carroça pelas aldeias"; "Nós tínhamos de dormir todos juntos em um quarto"; "Ficávamos felizes quando tínhamos batatas"; "Durante anos tive feridas abertas nas pernas por falta de roupa de inverno suficiente"; "Quando ainda era menino eu já tinha de ir para a loja em Pisek"; "Dos meus pais eu não recebia nada, nem mesmo durante o serviço militar, mesmo então eu ainda tinha de mandar dinheiro para casa"; "Mas apesar de tudo, de tudo mesmo, papai era sempre

---

24. Esta passagem por certo foi inspirada pela leitura de Dostoiévski, que havia sido condenado à morte por alta traição e foi surpreendentemente indultado já a caminho do fuzilamento. Kafka possuía várias das obras do autor russo em sua biblioteca particular. (N.T.)

papai. Quem é que sabe disso hoje em dia! O que é que as crianças sabem? Ninguém sofreu assim! Será que uma criança é capaz de entender tudo isso hoje em dia?". Tais histórias poderiam ter sido, em outras circunstâncias, um excelente recurso educativo, poderiam ter oferecido estímulo e força para resistir às mesmas trabalheiras e privações pelas quais havias passado. Mas isso tu não querias de maneira alguma, pois graças justamente aos teus esforços a situação era outra, não havia chance para alguém se distinguir como tu o havias feito. Essa oportunidade só poderia ser criada pela violência e pela subversão, seria preciso fugir de casa (supondo-se que tivesse existido capacidade de decisão e força para tanto e mamãe, por seu lado, não tivesse trabalhado contra por outros meios). Mas tudo isso tu não querias de maneira alguma, tu o qualificavas de ingratidão, extravagância, desobediência, loucura. Enquanto tu, portanto, induzias a isso através do exemplo, das narrativas e da vergonha por um lado, por outro o proibias da maneira mais rigorosa. Se não fosse assim, por exemplo, abstraídas as circunstâncias acessórias, na verdade tu terias de ficar encantado com a aventura de Ottla em Zürau. Ela queria ir para o campo, de onde tu tinhas vindo, queria passar por trabalho e privações como tu havias passado, não queria desfrutar dos teus êxitos no trabalho, do modo que tu também havias sido independente de teu pai. Eram intenções tão terríveis assim? Tão distantes do teu exemplo e do teu ensinamento? Bem, as intenções de Ottla falharam no resultado ao final das contas, tornaram-se talvez ridículas, foram executadas com muito escarcéu, ela não teve consideração suficiente com seus pais. Mas será que a culpa foi exclusivamente dela, não foi culpa também das condições e sobretudo do fato de tu estares tão distanciado dela? Será que ela, por acaso (conforme mais tarde tu quiseste te convencer), estava menos distante de ti na loja do que mais tarde em Zürau? Será que tu com toda certeza não terias tido força (supondo-se que tivesses conseguido superar a ti mesmo), através do encorajamento, do conselho e da orientação, talvez até apenas da tolerância, para fazer dessa aventura algo muito bom?

Depois desse tipo de experiências tu costumavas dizer, num gracejo amargo, que as coisas iam bem demais para nós. Porém esse gracejo não é, em certo sentido, um gracejo. Recebemos de tua mão aquilo que tu precisaste lutar para conseguir, mas a luta pela vida material, que no teu caso foi imediata, e da qual naturalmente não somos poupados, essa nós apenas tivemos de travar mais tarde, com energia de crianças em idade adulta. Não digo que por causa disso nossa situação seja necessariamente menos favorável do que a tua foi, provavelmente ela seja equivalente (ainda que as situações básicas não possam, é claro, ser comparadas); estamos em desvantagem no sentido de que não podemos nos vangloriar das nossas privações, nem humilhar ninguém com elas, como tu fizeste com as tuas. Também não nego que teria sido possível que eu gozasse e valorizasse na justa medida os frutos do teu trabalho grandioso e bem-sucedido e pudesse levá-los em frente para te dar alegria; mas justo nosso distanciamento se opunha a isso. Eu podia desfrutar o que tu me davas, mas apenas sentindo vergonha, cansaço, fraqueza, consciência de culpa. Em consequência disso eu só conseguia ser grato mendicantemente, jamais através da ação.

O resultado visível mais imediato de toda essa educação foi que fugi de tudo aquilo que, mesmo a distância, me lembrasse de ti. Primeiro foi a loja. Em e para si, sobretudo nos tempos da infância, enquanto ela ainda era uma loja de esquina, ela teria de me alegrar, uma vez que era tão vívida, iluminada à noite; a gente via, ouvia muito, podia ajudar aqui e ali, chamar a atenção, mas sobretudo admirar-te nos teus extraordinários talentos comerciais, no modo como tu vendias, tratavas as pessoas, fazias brincadeiras, te mostravas infatigável, em casos de dúvida sabias tomar logo uma decisão e assim por diante; além disso era um espetáculo digno de ser visto o jeito como tu fazias um embrulho ou abrias uma caixa, e no conjunto tudo aquilo não era, por certo, a pior das escolas para uma criança. Mas quando aos poucos tu foste me aterrorizando por todos os lados e a loja e a tua pessoa se tornaram para mim uma coisa só, então também ela já não era mais acolhedora. Coisas que no começo eram naturais para mim passaram a me atormentar, a me envergonhar, principalmente o tratamento que tu dispensavas aos empregados. Não sei, talvez fosse assim na maioria das lojas (na Assicurazioni Generali, por exemplo, o tratamento de fato era parecido no meu tempo; eu apresentei ao diretor meu pedido de demissão, alegando de um modo não de todo sincero, mas também não totalmente falso, que não podia suportar os insultos, que aliás nunca me atingiram de maneira direta; nesse ponto eu era dolorosamente sensível desde pequeno), mas na infância as outras lojas não me importavam. Porém na loja eu te via e te escutava xingar e ficar furioso de um modo que, conforme minha opinião na época, não acontecia em nenhuma outra parte do mundo. E não apenas xingar como também exercer as demais formas de tirania. Como tu, por exemplo, derrubavas do balcão, com um golpe, mercadorias que não querias ver confundidas com outras – só a irreflexão da tua cólera te desculpava um pouco –, e o caixeiro tinha de erguê-las do chão. Ou tua constante maneira de falar de um caixeiro doente do pulmão: "Que morra de uma vez, esse cão sarnento!". Tu chamavas os empregados de "inimigos pagos", e eles de fato o eram,[25] mas antes mesmo de eles o serem, tu me parecias ser o "inimigo pagador" deles. Foi na loja, também, que eu recebi o grande ensinamento de que tu poderias ser injusto; em mim mesmo eu não o teria notado tão logo, uma vez que havia se acumulado sentimento de culpa em demasia, que te dava razão; mas lá havia, segundo minha opinião

---

25. Hermann Kafka era famoso pela sua postura hostil em relação a seus empregados e, mais do que subjetiva, ela era objetiva e, aliás, típica da classe média ascendente de Praga na época. Nos *Diários*, Kafka chegou a anotar – justificando o "e eles de fato o eram" – que os empregados pediram demissão, todos juntos, certo dia, mas que o pai, com "palavras amistosas, amabilidades, efeito de sua doença, de sua grandeza e força do passado, de sua experiência, de sua esperteza conseguiu recuperá-los de volta, quase todos, em conversas gerais e privadas" (*Diários 1910-1923*. New York e Frankfurt a. M., 1951, p. 100). (N.T.)

infantil, naturalmente corrigida um pouco, embora não muito, mais tarde, pessoas estranhas, que em todo caso trabalhavam para nós e por causa disso tinham de viver com medo permanente diante de ti. É natural que eu tenha exagerado no que diz respeito a isso, e com certeza porque eu presumia, sem mais nem menos, que tu causavas nelas a mesma impressão aterradora que causavas em mim. Se tivesse sido assim, elas de fato não poderiam seguir vivendo; mas como eram pessoas adultas, na maior parte das vezes com nervos excelentes, elas afastavam para longe, sem maiores esforços, teus insultos, e no fim isso prejudicava mais a ti do que a elas. Mas a mim tudo isso tornava a loja insuportável, tudo me lembrava demais minha relação contigo: tu eras, pondo o interesse do empresário e seu despotismo inteiramente de lado, já na condição de comerciante, tão superior a todos os que ali fizeram o seu aprendizado, que nenhuma realização deles poderia te satisfazer; e eternamente insatisfeito, de maneira aliás semelhante, tu tinhas de estar comigo. Por isso eu pertencia, necessariamente, ao partido dos empregados, também porque, já em virtude do temor, eu não entendia como era possível insultar um estranho daquele jeito, de modo que eu queria conciliar de alguma maneira os empregados, a meu ver terrivelmente revoltados, contigo e com nossa família, em nome da minha própria segurança. Para tanto não bastava mais um comportamento costumeiro, decente diante dos empregados, nem mesmo um comportamento humilde; eu tinha muito antes de me mostrar humilhado, não apenas cumprimentar no princípio, mas na medida do possível também dispensar o cumprimento retribuído. E se eu, a pessoa insignificante, tivesse me abaixado para lamber os pés deles, ainda assim não teria compensado os insultos que lançavas sobre eles lá de cima. Essa relação, por meio da qual entrei em contato com meus semelhantes, repercutiu bem além da loja e seguiu repercutindo no meu futuro (algo semelhante, mas não tão perigoso e intensivo quanto no meu caso, é, por exemplo, a predileção de Ottla pelo contato com gente pobre, a intimidade com as empregadas, que te deixa tão indignado, e coisas do tipo). No final das contas eu quase sentia medo da loja e, seja como for, antes ainda de começar o ginásio, ela já não era mais assunto meu há tempo, e assim continuei a me distanciar cada vez mais. Ela também me parecia algo inteiramente inacessível às minhas forças, uma vez que, conforme tu dizias, ela consumia de todo até mesmo as tuas. Tu procuraste então (para mim isso ainda hoje é comovente e vergonhoso) extrair da minha aversão à loja, à tua obra, aversão que te era muito dolorosa, um pouco de doçura. Afirmando que me faltava tino comercial, que eu tinha ideias mais elevadas na cabeça e coisas do tipo. Mamãe naturalmente ficava satisfeita com essa explicação que tu extorquias de ti mesmo e até mesmo eu, em minha vaidade e aflição, deixava me influenciar por isso. Mas caso tivessem sido de fato, ou pelo menos fundamentalmente, "ideias mais elevadas" as que me apartaram da loja (que agora, mas apenas agora eu odeio de fato e sinceramente), elas teriam de se manifestar de outro modo, em vez de me fazerem navegar calma e medrosamente pelas águas do curso ginasial em direção aos estudos de Direito, para enfim desembarcar em definitivo na escrivaninha de funcionário público.

Se eu quisesse fugir de ti, teria de fugir também da família, até mesmo de mamãe. A gente sempre podia encontrar proteção junto dela, mas apenas no que diz respeito à relação contigo. Ela te amava demais e havia se entregado a ti de maneira demasiado fiel,[26] para que, na luta do filho, pudesse representar um poder espiritual autônomo por muito tempo. Um instinto certeiro da criança, aliás, pois com os anos mamãe se tornou ligada a ti ainda mais estreitamente; ao passo que, no que dizia respeito a si mesma, ela sempre conservou, de um modo belo e delicado, sua autonomia nos limites mínimos, sem jamais te magoar de modo significativo, com o passar dos anos ela assumiu cegamente, de uma maneira cada vez mais plena, os teus juízos e preconceitos em relação aos filhos, principalmente no caso por certo complicado de Ottla. É claro que é sempre preciso ter em mente como era desgastante ao extremo a posição de mamãe na família. Ela havia se extenuado na loja, na condução da casa, sofrido junto e duplamente todas as doenças da família, mas a coroação de tudo isso foi o sofrimento que ela padeceu por estar na posição intermediária entre ti e nós. Tu sempre foste afetivo e atencioso com ela, mas nesse aspecto a poupaste tão pouco quanto nós a poupamos. Sem consideração, jogamos às costas dela nossas desavenças, tu da tua

---

26. Ottla chegou a anotar em carta a seu futuro esposo que para a "satisfação" da mãe era "necessário que tudo agradasse ao pai". (Citado de *Kafka und seine Schwester Ottla* por BINDER, Hartmut: *Kafka-Kommentar*. München, 1976, p. 439.) (N.T.)

parte, nós da nossa. Era uma distração, não pensávamos nada de mau, pensávamos apenas na luta, que tu travavas conosco e nós contigo, e sobre mamãe descarregávamos tudo. Também não se pode dizer que a maneira como tu – sem a menor culpa de tua parte – a atormentavas por nossa causa foi uma boa contribuição para a educação dos filhos. Aparentemente isso até justificava o nosso comportamento em relação a ela, que de outro modo seria injustificável. Quanto ela não sofreu conosco por causa de ti e contigo por nossa causa, sem contar os casos em que tu tinhas razão porque ela nos estragava com mimos, embora até mesmo esse "estragar com mimos" por vezes pudesse ter sido apenas uma demonstração silenciosa e inconsciente contra o teu sistema. Por certo mamãe não teria conseguido suportar tudo isso, se ela não tivesse extraído do amor a todos nós e da felicidade desse amor a energia para suportá-lo.

Minhas irmãs apenas me acompanhavam em parte. A mais feliz em sua posição diante de ti era Valli. Sendo a mais próxima a mamãe, ela se sujeitava a ti de maneira semelhante, sem muito esforço ou prejuízo. Justo porque ela lembrava mamãe, tu a acolhias com mais amabilidade, embora existisse nela menos material kafkiano. Mas segundo teu ponto de vista talvez fosse precisamente isso o correto: onde não havia nada kafkiano, nem mesmo tu poderias exigir coisa do tipo; tu também não tinhas, conforme acontecia conosco, os outros, a sensação de que algo, que tinha de ser salvo com violência, estava sendo perdido. Aliás, parece que tu jamais amaste de modo especial o kafkiano quando ele se manifestava nas mulheres. A relação de Valli contigo talvez tivesse sido ainda mais amistosa, se nós não a tivéssemos atrapalhado um pouco.

Elli é o único exemplo de êxito para uma quase total evasão do teu círculo. Dela, era de quem eu menos teria esperado isso na infância. Era uma criança tão morosa, cansada, medrosa, desanimada, consciente de sua culpa, humilde ao extremo, malvada, preguiçosa, voraz e sovina, que eu mal podia olhar para ela, dirigir-lhe a palavra, de tanto que ela me fazia lembrar de mim mesmo, de tanto que se submetia, de um jeito similar ao meu, ao jugo da educação. Sobretudo a sovinice dela me era repulsiva, uma vez que em mim a mesma sovinice era, caso isso seja possível, mais forte ainda. A sovinice é, sem dúvida, um dos sinais mais confiáveis de infelicidade profunda; eu estava tão inseguro de tudo que só sentia possuir de fato aquilo que já segurava nas mãos ou na boca,[27] ou aquilo que pelo menos estava a caminho, e era exatamente isso o que Elli, que se achava em situação parecida, mais gostava de me tirar. Porém tudo mudou quando ela, já moça – e isso é o mais importante –, saiu de casa, casou, teve filhos, tornou-se alegre, despreocupada, corajosa, generosa, altruísta, cheia de esperança. É quase inacreditável como tu no fundo não percebeste em absoluto essa mudança, ou de qualquer forma não a

---

27. Há, na obra de Kafka, vários sinais de que o autor combatia a sovinice com todas as suas forças. O fato de ter por certo apenas aquilo que já tinha em mãos é um sinal da posição incerta dos judeus entre os outros povos; se por vezes alguns direitos lhes eram concedidos, eles logo voltavam a ser espoliados. (N.T.)

avaliaste com o devido merecimento, tão ofuscado estás pelo rancor que sempre tiveste contra ela e que no fundo permanece inalterado; só que esse rancor agora se tornou bem menos atual, uma vez que Elli não mora mais conosco e além do mais teu amor por Felix e tua simpatia por Karl o tornaram irrelevante. Apenas Gerti às vezes ainda precisa pagar por ele.

Sobre Ottla quase não ouso escrever, sei que com isso ponho em jogo todo o efeito almejado com a carta.[28] Em condições normais, ou seja, quando ela não está passando necessidades ou perigos especiais, tu sentes apenas ódio por ela; inclusive já me confessaste pessoalmente que, em tua opinião, ela permanentemente te causa dor e raiva de propósito e enquanto tu sofres por causa dela, ela fica satisfeita e se alegra. Ou seja, é uma espécie de demônio. Que estranhamento monstruoso, maior ainda do que entre mim e ti, deve ter-se instalado entre vocês dois para que uma incompreensão tão monstruosa seja possível. Ela está tão longe de ti que praticamente não a vês mais, mas colocas um fantasma onde supões que ela esteja. Admito que os problemas que tiveste com ela foram particularmente difíceis. Não penetro na essência desse caso complicado, mas seja como for havia nele algo como um Löwy equipado com as melhores armas kafkianas. Entre nós não houve propriamente uma luta, fui logo liquidado; o que sobrou foi fuga, amargura, luto, luta interior. Mas vocês dois estavam sempre em pé de guerra, sempre

---

28. Eis mais um indício de que Kafka escreveu a *Carta* na intenção de dá-la ao pai e de, com ela, melhorar a complicada relação entre os dois. (N.T.)

dispostos, sempre atilados. Uma visão tão grandiosa quanto desoladora. Nos primeiros tempos vocês dois certamente estavam muito próximos, pois ainda hoje Ottla é, de nós quatro, talvez a representação mais pura do matrimônio entre ti e mamãe e das energias que nele se juntaram. Não sei o que fez com que vocês perdessem a felicidade da concórdia entre pai e filha; apenas me inclino a acreditar que a evolução foi semelhante à minha. Do teu lado a tirania do teu ser, do lado dela a obstinação, a suscetibilidade, o sentimento de justiça, a inquietação löwyana e tudo isso sustentado pela consciência da força kafkiana. Claro que eu a influenciei, embora não por iniciativa própria, mas pelo simples fato da minha existência. Aliás, ela entrou por último nas relações de força já fixadas e logrou formar o próprio veredicto a partir do grande material disponível. Posso até imaginar que o ser dela vacilou durante algum tempo entre se lançar ao teu peito ou ao dos adversários; ao que parece tu cometeste algum descuido na época e a repeliste, mas ambos teriam sido, caso isso fosse possível, um magnífico casal no que diz respeito à concórdia. Eu teria perdido um aliado com isso, mas a visão de vocês dois me indenizaria regiamente e ademais, com a felicidade incomensurável de encontrar pelo menos em um filho a satisfação plena, tu terias te transformado muito a meu favor. Mas isso tudo não deixa de ser, hoje em dia, nada mais do que um sonho. Ottla não possui nenhuma ligação com seu pai, tem de procurar seu caminho sozinha, assim como eu, e por causa da maior firmeza, autoconfiança, saúde, despreocupação que ela tem se comparada a mim, ela é mais malvada e mais traidora do que eu aos teus olhos. Eu o compreendo; do teu ponto de vista ela não pode ser diferente. Sim, ela mesma é capaz de se contemplar com teus olhos, compartilhar tua dor e ainda por cima, não vou dizer ficar desesperada – que o desespero é coisa minha –, porém ficar muito triste. Tu nos vês, o que é uma contradição aparente no que diz respeito a isso, juntos muitas vezes, cochichando, rindo, ouves que mencionamos teu nome de quando em quando. Tens a impressão de que somos conspiradores atrevidos. Conspiradores estranhos. É verdade que foste desde sempre um dos temas principais de nossas conversas, assim como de nossos pensamentos, mas sinceramente jamais sentamos juntos na intenção de imaginar alguma coisa contra ti, muito antes a fim de discutir juntos com todo o empenho, com prazer, com seriedade, com amor, obstinação, ira, aversão, resignação, consciência de culpa, com todas as forças da cabeça e do coração esse processo terrível que paira entre ti e nós, em todos os seus detalhes, por todos os lados, em todas as suas circunstâncias, de longe e de perto; esse processo, no qual sempre afirmaste ser o juiz, embora sejas, pelo menos nos aspectos mais importantes (aqui deixo a porta aberta para todos os enganos que eventualmente possam cruzar meu caminho), parte tão fraca e ofuscada quanto nós.

Um exemplo instrutivo da tua influência pedagógica no contexto geral dessa situação foi Irma. Por um lado ela de fato era uma estranha, veio já adulta para trabalhar em tua loja, e tinha de ver em ti antes de tudo seu patrão, e portanto estava apenas em parte exposta à tua influência e em idade já apta a oferecer resistência; mas por outro lado ela era também uma parente consanguínea, honrava em ti o irmão de seu pai e tu tinhas sobre ela muito mais do que o simples poder de um patrão. E mesmo assim ela, que em seu corpo débil se mostrou tão capaz, esperta, diligente, despretensiosa, digna de confiança, altruísta e fiel, ela que te amou como tio e te admirou como patrão, que se manteve firme em outros empregos antes e depois, não foi uma boa empregada para ti. Claro que ela, naturalmente também pressionada por nós, estava próxima à posição dos filhos diante de ti, e o poder impositivo da tua personalidade era ainda tão grande que se desenvolveram nela (contudo apenas diante de ti e, espero, sem o sofrimento mais profundo da criança) falta de memória, negligência, humor trágico, quem sabe até mesmo um pouco de teimosia, na medida em que ela era capaz disso, sem contar que não considero nem o fato de que ela era doentia nem, de resto, muito feliz, e de que pesava sobre ela uma vida familiar desconsoladora. Para mim, a riqueza de referências de tua relação com ela foi resumida em uma frase tua, quase blasfema, que se tornou clássica entre nós, mas que comprova precisamente a inocência em tua maneira de tratar as pessoas: "Essa santinha só deixou porcaria pra trás".

Eu poderia descrever ainda círculos ulteriores de tua influência e da luta contra ela, porém nesse caso já entraria em terreno incerto e teria de inventar coisas; além disso, quanto mais tu te distancias dos negócios e da família, tanto mais amável, flexível, polido, atencioso (quero dizer: também exteriormente) tu te tornas, do mesmo modo que um autocrata, quando está fora dos limites do seu país, também não tem motivos para continuar sendo tirânico e estabelece relações bondosas até com pessoas mais humildes. De fato, nas fotos familiares tiradas em Franzensbad, por exemplo, tu sempre apareces imenso e alegre, entre as pequenas pessoas amuadas, como se fosses um rei em viagem.[29] Os filhos também teriam podido tirar proveito disso por certo, se já na infância tivessem sido capazes, o que era impossível, de percebê-lo e se eu, por exemplo, não precisasse viver sempre de algum modo no círculo mais íntimo, mais severo, mais sufocante de tua influência, conforme de fato fiz.

Por causa disso perdi não apenas o senso de família, conforme dizes; pelo contrário, senso de família eu ainda tinha, só que ele era essencialmente negativo a fim de me separar interiormente de ti (tarefa por certo interminável). Mas as relações com as pessoas fora do âmbito familiar sofriam talvez ainda mais por causa da tua influência. Tu te equivocas por inteiro se acreditas que, por amor e fidelidade, eu faço tudo pelos outros e, por frieza e traição, não faço nada por ti e pela família. Eu repito pela décima vez: mesmo sendo outras as circunstâncias eu teria me tornado um homem tímido e medroso, mas daí até o ponto em que realmente cheguei ainda há um longo e escuro caminho. [Até aqui escondi relativamente

---

29. A metáfora de Kafka é confirmada por pelo menos uma fotografia, na qual a família aparece reunida em volta do pai, centro do grupo. A foto aparece reproduzida no livro de ROBERT, M.: *Kafka*. Paris, 1960, p. 49. (N.T.)

pouca coisa de propósito nesta carta, porém, agora e depois, terei de esconder algumas, coisas (sobre mim e sobre ti) que ainda me são demasiado difíceis de serem confessadas. Digo-o a fim de que tu, caso o conjunto da imagem se mostre algo impreciso aqui e ali, não acredites que a escassez de provas seja culpada disso; há muito mais provas à disposição, que poderiam tornar a imagem insuportavelmente crassa. Não é fácil achar um meio-termo diante de tudo isso.][30] Por ora basta recordar coisas ditas anteriormente: eu perdi a autoconfiança diante de ti, que foi substituída por uma consciência de culpa ilimitada. (Lembrando-me dessa falta de limites, escrevi certa vez corretamente sobre alguém: "Teme que a vergonha sobreviva a ele".)[31] Eu não podia me metamorfosear[32] de repente, quando eu me juntava a outras pessoas; muito antes ficava com uma consciência de culpa ainda mais profunda em relação a elas, pois, conforme disse, precisava reparar os danos que, com a minha cumplicidade, tu lhes havias causado na loja. Ademais, tu por certo sempre tinhas alguma objeção aberta ou velada contra qualquer um com quem eu mantivesse contato, e também por isso eu tinha de pedir desculpas. A desconfiança que tu procuraste me ensinar contra a maioria das pessoas

---

30. Os colchetes foram acrescentados por Kafka à mão, provavelmente durante a revisão. (N.T.)

31. Esta é a frase final de *O processo* (*Der Prozess*), quando o personagem Joseph K. é morto. (N.T.)

32. A referência a *A metamorfose* (*Die Verwandlung*) através do verbo *verwandeln* – e justamente após a menção indireta de outra obra – parece estar longe de ser casual. (N.T.)

(aponte-me uma só, de algum modo importante para mim na infância, que tu ao menos uma vez não tenhas criticado de cima a baixo), na loja e na família, e que curiosamente não te incomodava nem um pouco (tu eras forte o suficiente para suportá-la e além do mais ela na realidade talvez não passasse de um emblema do soberano) – essa desconfiança, que enquanto pequeno não se confirmou em parte nenhuma aos meus próprios olhos, uma vez que por tudo eu via apenas pessoas inalcançavelmente primorosas, transformou-se dentro de mim em desconfiança contra mim mesmo e em medo permanente diante dos outros. No geral, portanto, eu na certa não podia me salvar da tua influência. O fato de teres te enganado a respeito disso talvez residisse na circunstância de que na realidade tu não sabias de nada a respeito de minhas relações pessoais, supondo, desconfiado e cheio de ciúmes (por acaso nego que gostes de mim?), que eu tinha de compensar a mim mesmo em alguma parte pela evasão da vida familiar, já que de fato era impossível que eu vivesse da mesma maneira fora dela. Aliás, nesse sentido eu tive já na infância um certo consolo, justo na desconfiança pelo veredicto a meu respeito; eu dizia a mim mesmo: "Ora, estás exagerando, sentes, conforme a juventude sempre o faz, insignificâncias em demasia como se fossem grandes exceções". Porém esse consolo eu quase perdi de todo mais tarde, com uma visão geral de mundo cada vez mais ampliada.

Salvação igualmente pouca diante de ti eu encontrei no judaísmo. Ali a salvação era em si, sem dúvida, cogitável, ou mais que isso, era cogitável que nós, ambos, tivéssemos nos encontrado no judaísmo ou que nós até saíssemos dele unidos por um ponto de partida comum. Mas que judaísmo foi esse que recebi de ti! Com o passar dos anos eu me situei perante ele mais ou menos de três maneiras diferentes.

Quando criança eu me recriminava, concordando contigo, porque não ia suficientes vezes ao templo, não jejuava e assim por diante. Com isso eu acreditava estar cometendo uma falta não contra mim, mas contra ti, e a consciência de culpa, que sempre estava pronta a atacar, me invadia.

Mais tarde, quando adolescente, eu não entendia como tu, com o nada de judaísmo do qual dispunhas, podias me recriminar pelo fato de eu não me esforçar (mesmo que fosse por piedade, conforme tu te exprimias) para realizar um nada semelhante ao teu. E era, até onde posso ver, de fato um nada, uma brincadeira, nem sequer uma brincadeira. Tu ias ao templo quatro dias por ano e nele permanecias mais próximo, no mínimo isso, dos indiferentes do que daqueles que levavam a coisa a sério, livravas-te com paciência das orações como se fossem formalidades, causando-me espanto às vezes por conseguires me mostrar no livro de orações a passagem que estava sendo recitada; de resto eu podia, quando estava no templo (isso era o principal), andar à toa por onde bem quisesses. Eu atravessava as várias horas por lá bocejando e cabeceando de sono (só voltei a me entediar tanto assim mais tarde, acredito, nas aulas de dança), procurando me alegrar na medida do possível com as pequenas variações que lá ocorriam, por exemplo quando abriam a Arca da Aliança, coisa que sempre me lembrava as barracas de tiro ao alvo, onde também se abria uma porta de armário quando o alvo era acertado, só que lá de dentro sempre saía alguma coisa interessante e daqui sempre as mesmas bonecas velhas sem cabeça.[33] Aliás, eu também senti muito medo no templo, não apenas, conforme era óbvio, das inúmeras pessoas com as quais a gente entrava em contato mais estreito, mas também porque certa vez tu mencionaste de passagem que até eu poderia ser chamado para ler a Torá. Durante anos tremi diante dessa possibilidade. No mais, porém, meu tédio não foi perturbado de maneira essencial, a não ser no máximo pelo bar mitzvah, que no entanto apenas exigia um ridículo esforço de decorar e que, portanto, só levava a uma prova ridícula, ou então, no que dizia respeito a ti, por pequenos incidentes pouco importantes, por exemplo quando eras chamado a ler a Torá e te saías bem nessa circunstância que no meu modo de ver era exclusivamente social, ou quando, na Reza pela Salvação da Alma dos Mortos, tu per-

---

33. Alusão metafórica aos rolos da Torá que, para serem melhor protegidos e inclusive ataviados, eram cobertos de tecidos finos e enrolados em todo o tipo de ornamentos, para depois serem postos em pé, dentro da Arca da Aliança (*Bundeslade*, ver glossário); a fantasia infantil via bonecas no resultado dos enfeites. Nos anos oitenta (do século XIX), Hermann Kafka fez parte da direção da Heinrichssynagoge, a primeira na qual foram realizados cultos tchecos. O filho, em carta a Felice, voltaria a se recordar do "tédio terrível e da falta de sentido das horas no templo" em que ele, literalmente, segundo suas palavras, se afogava (KAFKA, Franz: *Briefe an Felice und andere Korrespondenz aus der Verlobungszeit*. Org. por Erich Heller e Jürgen Born, Frankfurt a. M., 1967, p. 700). (N.T.)

manecias no templo e eu era mandado embora, o que durante muito tempo, evidentemente por causa desse ser mandado embora e da falta de uma participação mais profunda, suscitava em mim o sentimento, que mal chegava a se tornar consciente, de que se tratava de algo indecente... Assim era no templo, e em casa talvez fosse pior ainda e tudo se resumia à primeira noite do *seder*[34], que se tornava cada vez mais uma comédia com acessos de riso, sem dúvida por influência dos filhos que cresciam. (Por que tu tinhas de te submeter a essa influência? Porque a havias provocado.) Esse era, pois, o material de fé que me foi transmitido, ao qual se acrescentava no máximo a mão estendida apontando para "os filhos do milionário Fuchs", que iam ao templo nas grandes solenidades em companhia do pai. Como a gente poderia fazer com esse material alguma coisa mais interessante do que se livrar dele tão rápido quanto possível, eu não lograva compreender; justo esse livrar-se disso me parecia ser a ação mais piedosa.[35]

---

34. Ver glossário, assim como no caso de todos os outros verbetes relativos ao judaísmo. (N.T.)

35. Hugo Bergmann, colega de escola de Kafka, escreve em suas *Recordações de Franz Kafka* que Kafka várias vezes tentou fazer com que ele abrisse mão de sua crença, e que várias vezes se sentiu prestes a seguir os pedidos do colega. E repara, falando do interesse tardio de Kafka pelo judaísmo: "Vários anos mais tarde, ele mesmo voltou a procurar a crença que havia tentado me tomar com a ajuda de Spinoza" (ver *Universitas. Zeitschrift für Wissenschaft, Kunst und Literatur 27*, Caderno 7, 1972, p. 742). Kafka faz referência ao episódio também em seus *Diários* (KAFKA, Franz: *Tagebücher 1910-1923*. Org. por Max Brod. New York e Frankfurt a. M., 1951, p. 222 e 560). (N.T.)

Ainda mais tarde, porém, encarei as coisas de outro modo e compreendi por que tu tinhas razão em acreditar que também nesse detalhe eu te traía malevolamente. Tu de fato havias trazido da pequena comunidade interiorana semelhante a um gueto um pouco de judaísmo, não era muito e um tanto se perde na cidade e no serviço militar e mesmo assim as impressões e lembranças da juventude bastavam justo para uma espécie de vida judaica, sobretudo porque tu não necessitavas desse tipo de ajuda: eras de uma estirpe muito forte e dificilmente a tua pessoa podia ser abalada por escrúpulos religiosos quando estes não estavam bem misturados a escrúpulos sociais. No fundo a fé que dirigia tua vida consistia em acreditar na correção indiscutível das opiniões de uma determinada casta social judaica; portanto, na medida em que essas opiniões faziam parte do teu ser, tu na realidade acreditavas em ti mesmo.[36] Também ainda havia judaísmo suficiente dentro disso, mas para ser levado adiante ele era demasiado pouco diante do filho, e se perdeu até a última gota enquanto tu o passavas adiante. Em parte eram impressões juvenis intransferíveis, em parte o teu temido ser. Também era impossível tornar compreensível a uma

---

36. Aqui, mais uma vez, o pai como representante de uma classe e a carta atingindo toda a sua abrangência social. A "pequena comunidade interiorana" (*Dorfgemeinde*), da qual o pai viera, é Woßeck, distante cem quilômetros ao sul de Praga e com cerca de cem moradores à época. No trecho fica visível também que Kafka responsabilizava o processo civilizatório – a "cidade" – pelo minguamento da forma de vida religiosa, coisa que é clara também em outros momentos de sua obra. Logo a seguir, isso fica ainda mais evidente. (N.T.)

criança cuja capacidade de observação era aguçada pelo medo que as poucas nulidades que tu praticavas em nome do judaísmo com indiferença correspondente à nulidade delas podiam ter algum sentido mais alto. Para ti elas tinham sentido na qualidade de pequenas recordações dos tempos passados e por isso querias transmiti-las a mim, mas uma vez que também para ti elas não tinham valor intrínseco, isso apenas se tornava possível através da insistência ou da ameaça; por um lado isso podia não dar certo e por outro te obrigava, uma vez que não reconhecias a fraqueza de tua posição, a ficar muito furioso comigo por causa da minha aparente obstinação.

Tudo isso não era, por certo, um fenômeno isolado, as coisas se passavam de maneira semelhante em grande parte dessa geração de transição judaica, que emigrou do campo para as cidades ainda relativamente religiosa; acontecia espontaneamente, apenas acrescentava à nossa relação, à qual já não faltavam agudezas, mais uma e bem dolorosa. Por outro lado também aqui tu deves, do mesmo modo que eu, acreditar em tua ausência de culpa, mas explicar essa ausência de culpa pelo teu modo de ser e pelas relações históricas e não simplesmente pelas circunstâncias externas, portanto não apenas dizendo que, por exemplo, tiveste trabalhos e preocupações em demasia para poder te ocupar, além disso, desse tipo de questões. Era dessa maneira que costumavas virar as coisas e transformar a tua ausência inquestionável de culpa em uma acusação injusta contra os outros. E isso é muito fácil de ser rebatido, tanto aqui quanto em qualquer outro lugar. Por certo não se tratava de algum ensinamento que tu devesses ter dado aos teus filhos, mas sim de uma vida exemplar; se o teu judaísmo tivesse sido mais forte, também o teu exemplo teria sido mais convincente; isso é bem evidente e está longe, mais uma vez, de ser uma censura e é, muito antes, apenas uma defesa diante de tuas censuras. Não faz muito tempo que leste as memórias de juventude de Franklin. De fato, eu as dei a ti intencionalmente a fim de que as lesses, mas não, conforme tu observaste com ironia, por causa de uma pequena passagem acerca do vegetarismo,[37] e sim por causa da relação entre o escritor e seu pai, conforme ela aparece descrita na obra, e da relação entre o escritor e seu filho, conforme ela se expressa aliás espontaneamente nessas memórias escritas para o filho. Mas não quero aqui destacar particularidades.

Recebi uma certa confirmação posterior dessa tua concepção de judaísmo através do teu comportamento nos últimos anos, quando te pareceu que eu passei a me ocupar mais com as coisas do judaísmo. Uma vez que demonstras, antecipadamente, antipatia contra qualquer de minhas ocupações e sobretudo contra a maneira que esse interesse se expressa, tu a demonstraste também nesse caso. Mas mesmo assim seria possível esperar que aqui tu fizesses uma pequena exceção. No fim das contas era judaísmo de

---

37. Kafka era vegetariano. Em carta de 1912 a Felice, o escritor anota que o pai "tinha de segurar o jornal diante dos olhos durante meses antes de se acostumar" com os modos alimentares do filho (KAFKA, Franz: *Briefe an Felice und andere Korrespondenz aus der Verlobungszeit*. Org. por Erich Heller e Jürgen Born, Frankfurt a. M., 1967, p. 795). O objetivo de ter dado a autobiografia de Franklin (ver glossário) ao pai era muito maior, no entanto. (N.T.)

teu judaísmo que se manifestava em mim e com isso também a possibilidade do entabulamento de uma nova relação entre nós. Não nego que essas coisas, se tu tivesses mostrado interesse por elas, talvez justamente por isso tivessem se tornado suspeitas para mim. Não me ocorre, claro, querer afirmar que, no que diz respeito a isso, eu seja de alguma forma melhor do que tu. Porém a comprovação disso nem sequer importa. Por meu intermédio, o judaísmo se tornou repulsivo para ti, os escritos judaicos, indignos de leitura, pois eles "te enojavam". Isso poderia significar que tu fazias questão de ver que apenas o judaísmo, conforme tu o havias mostrado em minha infância, é que era o único correto e que além dele não havia nada. Mas que tu fizesses questão de que fosse assim era praticamente impossível de ser cogitado. Nesse caso o "nojo" (não contado o fato de que ele no princípio não se dirigia contra o judaísmo, mas contra minha pessoa) só podia significar que tu reconhecias de maneira inconsciente a fraqueza de teu judaísmo e de minha educação judaica e que não querias de modo nenhum ser lembrado disso, respondendo a todas as recordações com ódio aberto. Aliás a tua supervalorização negativa de meu novo judaísmo era assaz exagerada; em primeiro lugar ele já incluía a tua maldição em si e em segundo a relação fundamental com os semelhantes era decisiva para o seu desenvolvimento, e em meu caso, fatal, portanto.

Com tua antipatia atingiste, de modo ainda mais certeiro, a minha atividade de escritor e tudo aquilo que se relacionava a ela e não conhecias. Neste ponto eu de fato conseguira me afastar um pouco de ti autonomamente, mesmo que isso lembrasse um tanto o verme que, pisoteado na parte de trás, se livra com os movimentos da parte dianteira arrastando-se para o lado.[38] De certa maneira eu estava em segurança, havia um suspiro de alívio; a antipatia que tu naturalmente logo manifestaste também contra minha atividade de escritor foi excepcionalmente bem-vinda para mim nesse caso. Minha vaidade, minha ambição até sofriam com a acolhida, aos poucos famosa entre nós, que dedicavas a meus livros: "Coloca em cima do criado-mudo!" (na maior parte das vezes jogavas cartas quando vinha um livro), mas no fundo eu me sentia bem apesar de tudo, não apenas por causa da maldade que se insurgia, não apenas por causa da alegria pela nova confirmação do modo como eu concebia a nossa relação, porém, bem na origem, porque aquela fórmula soava para mim mais ou menos como: "Agora tu estás livre!". Naturalmente isso era um engano, eu não estava ou, na melhor das hipóteses, ainda não estava livre. Minha atividade de escritor tratava de ti, nela eu apenas me queixava daquilo que não podia me queixar junto ao teu peito. Era uma despedida de ti, intencionalmente prolongada, com a peculiaridade de que ela, apesar de imposta por ti, corria na direção que eu determinava. Mas como tudo isso era pouco! No fundo só vale a pena

---

38. Imagem semelhante aparece em carta a Milena, na qual Kafka escreve, mencionando a *Carta ao pai*: "Mas tu não conheces a carta a meu pai, o debater-se da mosca no visco da armadilha" (KAFKA, Franz: *Briefe an Milena*. Org. por Willy Haas. New York e Frankfurt a. M., 1952, p. 174); em *O processo* a imagem também é referida, servindo de metáfora à luta de Joseph K. contra o tribunal, luta que aliás – sobretudo na questão da <u>culpa</u> – é parecida à de Kafka contra a instância paterna. (N.T.)

falar disso porque aconteceu em minha vida; em qualquer outro lugar isso nem sequer seria percebido, e também porque isso dominava minha vida, na infância como uma intuição, mais tarde como uma esperança e ainda mais tarde como um desespero, muitas vezes, ditando-me – se a gente quiser, mais uma vez conforme o teu figurino mandava – minhas poucas e pequenas decisões.

A escolha da profissão, por exemplo. Claro, aqui tu me deste inteira liberdade em teu jeito generoso e nesse sentido até paciente. Em todo caso também nisso tu seguiste o tratamento geral dispensado aos filhos pela classe média judaica,[39]

---

39. Aqui a carta volta a se mostrar – de maneira direta – um documento não apenas pessoal, mas abrangente, definidor de uma situação histórica e, por isso, humana. Até mesmo a relação de Kafka com o pai é socialmente fundada e o conflito entre os dois é prenhe da situação social da época; depois de os pais ascenderem comercialmente, os filhos passaram a ver nos estudos acadêmicos um futuro mais garantido, uma vez que a situação econômica da classe média judaica piorava, também por causa da propaganda antissemita. E o questionamento da ordem limitadamente materialista dos pais só poderia gerar conflitos... Hugo Bergmann chega a escrever que ele e Kafka queriam evitar a toda força os estudos tipicamente judaicos (Direito e Medicina) e por isso tentaram a Química. Kafka logo desistiu, por não se habituar ao trabalho no laboratório (ver "Erinnerungen an Franz Kafka". *Universitas. Zeitschrift für Wissenschaft, Kunst und Literatur 27*, Caderno 7, 1972, p. 744.) Com a Germanística aconteceu o mesmo; desiludido dos estudos demasiado positivistas em Praga, Kafka cogitou continuar os estudos em Munique, mas acabou desistindo da mudança, para voltar a se dedicar ao Direito renegado no princípio e doutorar-se na área em junho de 1906 (ver cronologia biobibliográfica, ao final). Em relação à atividade de escritor, não a encarava como ganha-pão e até considerava que o trabalho poético não poderia ser aviltado a essa categoria. (N.T.)

tratamento que te servia de modelo. Ao final, também aqui, interveio um dos teus mal-entendidos em relação à minha pessoa. É que por orgulho de pai, por desconhecimento da minha verdadeira natureza, por influência da minha fragilidade, tu sempre me consideraste especialmente aplicado. Quando era criança, em tua opinião, eu estudava sem parar e mais tarde escrevia sem parar. Ora, isso não procede, nem de longe. Pode-se dizer, muito antes e muito menos exageradamente, que estudei pouco e não aprendi nada; não é de admirar muito que, em tantos anos, com uma memória mediana e uma capacidade de compreensão que não é das piores, mas não é grande, algo tenha ficado retido; mas de qualquer forma o resultado geral em termos de conhecimento, e sobretudo em termos de fundamentação desse conhecimento, é lastimável ao extremo diante do dispêndio de tempo e dinheiro, principalmente em comparação com quase todas as pessoas que eu conheço.[40] É lastimável, mas compreensível; pelo menos para mim. Eu tive, desde que consigo pensar, essa preocupação profunda com a afirmação espiritual da minha existência, a tal ponto que todo o resto me era indiferente. Ginasianos judeus são muito estranhos entre nós, a gente encontra entre eles o que há de mais inverossímil; mas a minha indiferença fria, mal disfarçada, indestrutível, infantilmente desamparada, que adentrava o ridículo com facilidade e ademais selvagemente autossatisfeita de criança fria, ainda

---

40. Aqui, um exemplo visível de como o filho já está marcado pelo sistema argumentativo – pela visão de mundo objetiva e tosca – do pai. (N.T.)

que autossuficiente no que diz respeito à fantasia, eu jamais voltei a encontrar em lugar nenhum, muito embora aqui ela fosse a única proteção contra a destruição dos nervos através do medo e da consciência de culpa. Eu me ocupava apenas da preocupação comigo mesmo, mas esta assumia as mais variadas formas. Por exemplo, a preocupação com minha saúde; ela começou de leve, aqui e ali se manifestava um pequeno temor por causa da digestão, da queda do cabelo, de algum desvio na coluna e assim por diante, e isso aumentava em gradações imensuráveis para ao fim terminar em uma doença de verdade.[41] O que significava tudo isso? Não uma doença física, na verdade. Mas uma vez que eu não estava seguro de coisa alguma, uma vez que precisava obter de cada instante uma confirmação de minha própria existência e não era dono de nada que pertencesse claramente a mim – era um filho deserdado, no fundo –, era natural que até a coisa mais próxima, o meu próprio corpo, se tornasse incerto para mim; eu cresci, espichando para o alto, mas não tinha ideia de como lidar com isso; o peso era demasiado e as costas entortaram; eu mal ousava me mexer ou até mesmo fazer exercícios, e permaneci fraco; tudo aquilo de que ainda dispunha me espantava como um milagre, por exemplo, minha boa digestão; isso bastava para perdê-la, e logo o caminho para todo tipo de hipocondria estava livre, até que, com o esforço sobre-humano de querer casar (ainda vou falar sobre isso), o sangue me saiu dos pulmões, no

---

41. Referência ao catarro pulmonar constatado em exame médico no verão de 1917. (N.T.)

que o apartamento no palácio de Schönborn – de que eu apenas precisava porque acreditava precisar dele para minha atividade de escritor, de modo que também isso tem de ser posto no papel – pode bem ter contribuído seu bocado. Portanto nada provinha do trabalho excessivo, conforme tu sempre imaginaste. Houve anos em que, mesmo completamente saudável, passei mais tempo vagabundeando sobre o canapé do que tu em tua vida inteira, incluídas todas as tuas doenças. Quando eu fugia de ti, sumamente atarefado, era, na maioria das vezes, para ficar deitado no meu quarto. Tanto no escritório (onde a preguiça não chama muito a atenção e onde, além disso, ela era mantida dentro dos limites pelo meu medo, no entanto) quanto em casa, meu rendimento geral era mínimo; se tivesses uma visão geral a respeito disso, tu ficarias horrorizado. É provável que eu nem seja preguiçoso por natureza, mas eu não tinha nada a fazer. Nos lugares em que vivia eu me sentia recriminado, condenado, derrotado e ainda que me esforçasse de maneira extrema para fugir a outros lugares isso não era um trabalho, pois se tratava de algo impossível, inalcançável para as minhas forças, não contadas algumas pequenas exceções.

Nessa situação, pois, eu recebi a liberdade para escolher minha profissão. Mas será que, no fundo, eu ainda era capaz de aproveitar tal liberdade? Será que eu me julgava em condições, apesar de tudo, de alcançar uma profissão de verdade? Minha autoavaliação era muito mais dependente de ti do que de qualquer outra coisa, como, por exemplo, um êxito exterior. Este era o reforço de um instante, nada mais que isso, mas do outro lado o teu peso me puxava para baixo com muito mais vigor. Eu pensava jamais passar do primeiro ano primário, mas consegui e até recebi um prêmio; porém eu certamente não haveria de ser aprovado na prova de admissão para o curso ginasial, mas consegui; mas então por certo eu seria reprovado já no primeiro ano do ginásio, porém não, também ali não fui reprovado e segui sempre adiante e adiante. Mas o efeito disso não foi uma confiança renovada, pelo contrário, eu sempre estive convencido – e em tuas feições reprovantes eu via a prova formal para isso – de que quanto mais eu alcançava, tanto pior tudo haveria de acabar no final das contas. Muitas vezes eu via mentalmente a assembleia medonha de professores (o ginásio é apenas o exemplo mais homogêneo, mas em toda parte ao meu redor as coisas eram parecidas), que iria se reunir quando eu tivesse passado pela *prima*, quer dizer, quando já estivesse na *sekunda* ou, passada esta, na *tertia*, para investigar esse caso único, que clamava aos céus para ser explicado, e perguntar como eu, o mais incapaz e por certo o mais ignorante, havia conseguido chegar sorrateiramente até aquela série e, uma vez que a atenção geral estava voltada a mim, naturalmente eles me cuspiriam para fora sem mais delongas, para júbilo de todos os justos libertados desse pesadelo.[42] Viver com tais ideias

---

42. Kafka exagera, em atitude típica de desprezo a si mesmo. Testemunhos de colegas asseguram que durante os estudos colegiais ele era aluno acima da média, "exceto em matemática". Na "área humanística" inclusive era "muito bom" (ver HECHT, Hans. "Zwölf Jahre in der Schule mit Franz Kafka". In: *Prager Nachrichten 17*, Nr. 8, 1966, p. 3). No fundo, porém, Kafka fala mais de seu temor – mais uma vez típico – em relação a si mesmo do que propriamente de sua incapacidade. (N.T.)

não é fácil para uma criança. O que me importava, nessas circunstâncias, a aula? Quem era capaz de arrancar de mim uma fagulha de participação? A mim a aula interessava e não apenas a aula, mas tudo que havia em volta dela, nessa idade decisiva, como a um fraudador de banco que ainda continua no emprego e treme diante do desmascaramento interessam as pequenas transações de banco que ele ainda tem de realizar na condição de funcionário. Tudo tão pequeno, tão distante da coisa principal. E assim continuou até a *matura*, na qual, em parte, de fato só fui aprovado graças à fraude, e a partir de então tudo estacou e eu passei a estar livre. Se a despeito da coerção do ginásio eu já me preocupava apenas comigo mesmo, como haveria de ser agora que eu estava livre? Para mim, portanto, não houve propriamente liberdade na escolha da profissão, pois eu sabia que diante do essencial tudo me seria tão diferente quanto todas as matérias letivas do curso ginasial; tratava-se pois de encontrar uma profissão que, sem machucar demais a minha vaidade, estivesse mais próxima de permitir essa indiferença. E o Direito era, pois, a mais evidente. Pequenas tentativas em sentido contrário, nascidas da vaidade e da esperança insensata, como duas semanas de estudo de Química, meio ano de estudos de Germanística apenas fortaleceram aquela convicção básica. E eu estudei Direito, pois. Isso significou que nos poucos meses antes das provas, com régio prejuízo dos nervos, eu alimentava o espírito literalmente de serragem, que além do mais já tinha sido mastigada por mil bocas antes de mim. Mas, em certo sentido, eu até gostava disso, justamente como antes, em certo sentido, também gostava do curso ginasial e mais tarde da profissão de funcionário, pois tudo correspondia perfeitamente à minha situação. Em todo caso eu mostrava nisso uma previsão espantosa, já em criança pequena eu tive pressentimentos claros o suficiente no que diz respeito a estudos e profissão. A partir disso eu não esperava salvação nenhuma e há tempo já havia renunciado a ela.

Porém não mostrei quase nenhuma previsão no que diz respeito ao significado e à possibilidade de um casamento para mim; esse, até agora, maior terror da minha vida tomou conta de mim de um modo quase totalmente inesperado. A criança havia se desenvolvido de modo tão lento, essas coisas estavam para ela demasiado distantes, aqui e ali oferecia-se a necessidade de pensar acerca disso; mas não era possível reconhecer que no caso se preparava uma prova duradoura, decisiva, até mesmo a mais encarniçada de todas. Mas na realidade as tentativas de casamento se tornaram as tentativas mais grandiosas e mais esperançosas de escapar a ti,[43] e proporcionalmente grandioso foi, com certeza, também o fracasso.

Temo que, porque nessa área tudo acaba dando errado, eu também não logre te tornar compreen-

---

43. Aqui, Kafka confessa explicitamente ter feito de suas noivas um meio para se libertar do pai. Em *O castelo* (*Das Schloß*), para ficar em apenas um exemplo da obra restante, Frieda também seria um meio na luta contra a administração do castelo. (N.T.)

síveis essas tentativas de casamento. E mesmo assim o sucesso da carta inteira depende disso, pois nessas tentativas de um lado estava reunido tudo aquilo de que disponho em termos de forças positivas, e por outro lado também se reuniam, com verdadeira fúria, todas as forças negativas que eu descrevi como sequelas da tua educação, ou seja, a fraqueza, a falta de autoconfiança, a consciência de culpa, que literalmente estendiam um cordão de isolamento entre mim e o casamento. A explicação haverá de ser difícil para mim também porque no que diz respeito a isso pensei e revirei tudo em tantos dias e tantas noites, a ponto de fazer com que até eu mesmo já me sinta confuso diante de tudo. A explicação só se tornará mais fácil para mim através da tua compreensão, em minha opinião totalmente errada, das coisas; melhorar um pouquinho um fracasso tão completo não me parece assim tão difícil.

De primeiro tu colocas o fracasso de minhas tentativas de casamento no rol de meus demais fracassos; eu até não teria nada contra isso, pressupondo que aceites a explicação que dei acerca de meus insucessos até agora. Ele de fato entra nesse rol apenas porque tu subestimas o significado da questão e o subestimas de tal maneira que nós, quando falamos a respeito disso um com o outro, na verdade estamos falando de coisa bem diferente. Ouso dizer que não aconteceu nada em tua vida inteira que tivesse tanta importância para ti quanto as tentativas de casamento tiveram para mim. Não quero dizer com isso que tu não tenhas vivido nada que fosse tão importante, pelo contrário, tua vida foi bem mais rica e mais cheia de preocupações e mais densa do que a minha, mas justamente por isso não te aconteceu nada parecido. É como se alguém tivesse cinco lances de escada a subir e o outro apenas um lance de escadas, mas que é tão alto quanto os cinco do anterior juntos; o primeiro não apenas superará os cinco lances, mas ainda cem e mil outros, ele haverá de ter levado uma vida grandiosa e bem extenuante, mas nenhum dos lances que ele subiu haverá de ter tanta importância para ele quanto para o segundo aquele lance único, primeiro, alto, impossível de ser escalado mesmo na reunião de todas as suas forças, o qual ele não conseguirá alcançar e além do qual ele naturalmente não irá subir.

Casar, fundar uma família, aceitar todas as crianças que vierem, mantê-las nesse mundo incerto e inclusive conduzi-las um pouco é, segundo minha convicção, o máximo entre todas as coisas que um homem pode alcançar. O fato de que aparentemente muitos o conseguem de maneira tão fácil não é uma prova em contrário, pois em primeiro lugar muitos não o conseguem de fato e em segundo lugar esses poucos não "fazem" com que aconteça, isso apenas acontece com eles; na verdade não é aquele máximo, mas é algo muito franco e muito honroso (principalmente porque "fazer" e "acontecer" não se deixam distinguir com nitidez um do outro). E, enfim, também não se trata de modo algum desse máximo, e sim de alguma aproximação remota, porém decente; por certo não é necessário subir até o centro do sol, mas sim ir rastejando até um lugarzinho limpo sobre a terra, que às vezes é iluminado pelo sol e no qual é possível se aquecer um pouco.

E como é que eu estava preparado para tanto, então? Da pior maneira possível. Isso pode ser visto já no que escrevi até agora. Mas até o ponto em que existe uma preparação direta do indivíduo e uma criação direta das condições básicas gerais, tu intervieste pouco exteriormente. Também não é possível de outro jeito, pois aqui decidem os costumes sexuais gerais da classe, do povo e da época. Seja como for, também aí tu intervieste, não muito, pois o pressuposto para essa intervenção apenas pode ser a forte confiança mútua, e ela nos faltou a ambos já muito antes do momento decisivo e não pode ser muito feliz porque nossas necessidades eram completamente diferentes; o que me arrebata mal te toca e vice-versa, o que para ti é inocência pode ser culpa para mim e vice-versa, o que em ti pode não causar nenhuma consequência pode ser a tampa do meu esquife.

Eu me recordo de que certa vez caminhava à tardinha contigo e com mamãe; era na Josephplatz nas proximidades em que hoje em dia fica o Banco dos Estados e eu comecei a falar tolamente, com empáfia, superioridade, orgulho, cálculo (no que era falso), frieza (no que era autêntico) e gaguejante, como na maior parte das vezes em que falava contigo, sobre coisas interessantes; censurei vocês pelo fato de não terem me ensinado uma série de coisas, de só meus colegas terem se preocupado de fato em me ajudar, de ter estado perto de uma série de grandes perigos (no que menti, à minha maneira, desavergonhadamente a fim de me mostrar corajoso, pois em consequência de minhas apreensões não tinha nem sequer uma ideia mais precisa a respeito dos "grandes perigos"), mas para concluir insinuei que felizmente agora já sabia de tudo, não precisava mais de conselho e que estava tudo em ordem. Seja como for, eu havia começado a falar disso sobretudo porque me dava prazer pelo menos falar disso, mas logo passei a me sentir curioso e por fim de algum modo já tentava me vingar de vocês por causa de alguma coisa. De acordo com tua natureza, não deste muita importância, apenas disseste algo no sentido de que poderias me dar um conselho sobre como eu poderia fazer essas coisas[44] sem correr perigo. Talvez eu quisesse provocar justamente uma resposta desse tipo, que sem dúvida correspondia à lubricidade da criança eternamente preocupada consigo mesma, inativa em termos físicos e supernutrida de carne e de todas as coisas

---

44. "Essas coisas", fique claro, são sexuais. A tergiversação, o floreio apenas demonstra o caráter problemático que o assunto assumia. Visitas de Kafka a bordéis podem ser confirmadas apenas tardiamente, tanto nas *Cartas* (ver *Briefe 1902-1924*. Org. por Max Brod. New York e Frankfurt a. M., 1958, p. 33, 56 e 58), bem como nos *Diários* (ver *Tagebücher 1910-1923*. Org. por Max Brod. New York e Frankfurt a. M., 1951, p. 72). Max Brod também fala delas em sua biografia sobre o autor. Josef Rattner chega a comentar uma das visitas de Kafka a um bordel em Paris, que terminou com a fuga – *ante festum*; quer dizer, antes da festa – do escritor (ver RATTNER, Josef: *Kafka und das Vater-Problem*. München / Basel, 1964, p. 53). (N.T.)

boas;⁴⁵ mas apesar disso o meu pudor ficou tão ferido, ou pelo menos acreditei que ele tivesse de estar ferido, que não pude mais continuar falando sobre aquilo contra minha vontade e interrompi a conversa altivamente atrevido.

Não é fácil julgar tua resposta de então; por um lado ela tem, sem dúvida, algo subjugantemente franco, de certo modo primitivo, mas por outro, no que diz respeito à lição propriamente dita, ela é inescrupulosamente moderna. Não sei que idade eu tinha na época, por certo não mais de dezesseis anos. Mas para um rapaz assim era uma resposta em todo caso muito curiosa, e a distância entre nós dois se mostra também no fato de que aquela era, na verdade, a primeira lição direta, de alcance vital, que eu recebia de ti. Seu sentido verdadeiro, no entanto, que já na época mergulhou dentro de mim, mas apenas muito mais tarde se tornou mais ou menos consciente, era o seguinte: aquilo que tu me aconselhavas era, na tua e muito mais ainda na minha opinião à época, a coisa mais suja que poderia haver.⁴⁶ O fato de tu quereres impedir que eu trouxesse qualquer sujeira para casa era secundário; com isso tu protegias apenas a ti mesmo e à tua casa. O principal era, muito antes, que tu ficavas fora da normalidade dos teus conselhos, um homem casado, um homem puro,

---

45. As análises "biologicizantes" de Kafka são cheias de poesia; o mesmo já acontecera quando analisava a parcela "kafkiana" de seu ser. (N.T.)

46. Kafka associa a sujeira ao sexo em vários momentos de sua obra. Em uma de suas cartas a Milena, o escritor é bem explícito (ver *Briefe an Milena*. Org. por Willy Haas. New York e Frankfurt a. M., 1952, p. 180 e seguintes). (N.T.)

superior a essas coisas; isso provavelmente era ainda mais agravante para mim na época, pelo fato de que também o casamento me parecia desavergonhado e, portanto, era impossível que eu aplicasse aos meus pais o que eu havia ouvido sobre o casamento em geral. E por causa disso tu te tornavas ainda mais puro, te elevavas ainda mais. A ideia de que desses a ti mesmo, antes do casamento, por exemplo, um conselho semelhante era totalmente impensável para mim. Assim, pois, não restava quase nenhum restinho de sujeira mundana em ti. E justamente tu me atiravas, com um par de palavras francas, a essa sujeira, como se eu estivesse destinado a ela. Se o mundo, portanto, consistia apenas em mim e em ti, uma ideia à qual me inclinava muito, então essa pureza do mundo acabava em ti; e comigo, por força do teu conselho, começava a sujeira. A rigor era incompreensível que tu me condenasses assim, só uma culpa antiga e o mais profundo desprezo da tua parte poderiam esclarecê-lo para mim. E com isso eu mais uma vez era abordado no mais íntimo de meu ser; e bem duramente, seja dito.

Talvez também seja nisso que a ausência de culpa de nós dois se evidencie da maneira mais nítida. A dá a B um conselho franco, correspondente à sua concepção de vida, não muito bonito, é verdade, mas de qualquer modo ainda hoje perfeitamente usual na cidade, e que talvez evite danos à saúde. Moralmente esse conselho não é muito reconfortante para B, mas não há razão alguma para que, no curso dos anos, ele não se recupere do dano; aliás, ele nem precisa seguir o conselho e, seja como for, não há no próprio conselho nenhum motivo para que todo o mundo futuro de B desmorone. E no entanto acontece exatamente isso, mas apenas porque tu és A e eu sou B.⁴⁷

Consigo ter uma visão global particularmente boa dessa ausência de culpa de ambos porque, cerca de vinte anos mais tarde, voltou a ocorrer, em condições de todo diferentes, uma colisão entre nós dois, horrenda como fato concreto, mas em si mesma muito menos danosa, pois afinal onde havia em mim, aos trinta e seis anos, algo que ainda pudesse ser danificado? Quero referir com isso um pequeno pronunciamento da tua parte, num dos dias agitados depois da comunicação do meu último propósito de casamento. Tu me disseste mais ou menos o seguinte: "Provavelmente ela usou uma blusa escolhida com cuidado, assunto do qual as judias de Praga entendem muito,⁴⁸ e tu naturalmente logo decidiste casar

---

47. Argumentação que lembra o episódio Sortini-Amália em *O castelo* (*Das Schloß*; na edição de 1960 organizada por Max Brod, ver p. 273). (N.T.)

48. Nessa passagem fica mais uma vez – e ainda mais – claro que Kafka via no casamento uma possibilidade de fugir ao domínio do pai. Mais adiante, ele o diz de maneira ainda mais direta. Além disso, há um trecho bem semelhante ao presente em *O veredicto (Das Urteil)*. Lá o pai de Georg se expressa de modo análogo quando fica sabendo das intenções casamenteiras do filho Georg:

"– Mas olhe para mim! – exclamou o pai, e Georg correu, quase distraído, até a cama, a fim de entender tudo melhor; mas estacou no meio do caminho.

"– Só porque ela levantou a saia – começou o pai a flautear –, só porque ela levantou a saia, essa anta nojenta – e ele levantou, a fim de representar a cena, seu próprio roupão, (cont.)

com ela. E, claro, o mais rápido possível, em uma semana, amanhã, hoje. Não consigo te entender, és um homem maduro, vives na cidade, e não te ocorre coisa melhor do que te casares imediatamente com qualquer uma que aparece. Será que não existem outras possibilidades? Se tu tens medo, eu te acompanho pessoalmente". Tu foste mais minucioso e mais claro, mas já não consigo me lembrar dos pormenores; talvez a minha vista tenha se nublado um pouco e ainda que estivesse completamente de acordo contigo, quase me interessei mais em ver que, pelo menos, minha mãe pegou alguma coisa sobre a mesa, abandonando a sala. Dificilmente tenhas me humilhado mais fundo em palavras do que dessa vez e jamais o teu desprezo se mostrou tão nítido para mim. Quando falaste comigo de maneira semelhante vinte anos antes, seria possível ver naquilo, até mesmo com teus olhos, um pouco de respeito pelo jovem precoce da cidade que, em tua opinião, já podia ser introduzido na vida sem rodeios. Hoje essa consideração poderia aumentar ainda mais o desprezo, pois o jovem, que na época tomava impulso, ficou empacado nele, e hoje em dia não te parece mais rico em experiência mas apenas vinte anos mais deplorável. O fato de eu

---

(cont.) e tão alto que se pôde ver a cicatriz de seus anos de guerra na coxa – só porque ela levantou a saia assim e assim, tu te grudaste a ela (...)" (KAFKA: *O veredicto*. Tradução de Marcelo Backes. Porto Alegre: L&PM, 2001, p. 129).

Em outra passagem, pouco adiante, o pai de Georg diz – e a semelhança entre o problema central da *Carta ao pai* e de *O veredicto* é ainda mais clara: "Eu a varro [a noiva] do teu lado e tu nem ficarás sabendo como!" (*Idem*, p. 132). (N.T.)

ter me decidido por uma moça não significou nada para ti. Tu sempre mantiveste (inconscientemente) o meu poder de decisão lá embaixo e agora acreditavas (inconscientemente) saber o que ele valia. Das minhas tentativas de salvação em outras direções tu não sabias nada, por isso também não podias saber nada dos raciocínios que haviam me levado a essa tentativa de casamento; tinhas de tentar adivinhá-los e me aconselhaste do modo mais abominável, mais grosseiro e mais ridículo, de acordo com o veredicto geral que tinhas a meu respeito. E não hesitaste um só instante em me dizê-lo exatamente daquela maneira. A vergonha que me impingiste não era nada em comparação com a vergonha que, na tua opinião, eu iria causar ao teu nome através do casamento.

Ora, tu podes me responder um punhado de coisas no que diz respeito às minhas tentativas de casamento, e já o fizeste: não seria possível ter muito respeito diante de minha decisão, já que duas vezes desfiz e duas vezes assumi o noivado com F., e já que arrastei a ti e a minha mãe inutilmente a Berlim para o noivado e coisas desse tipo. É tudo verdade, mas por que foi que isso aconteceu?

A ideia básica das duas tentativas de casamento era inteiramente correta: fundar um lar, tornar-me independente. Uma ideia que por certo te é simpática, só que na realidade ela não se realiza assim como no jogo infantil em que um segura, e inclusive aperta, a mão do outro, enquanto grita: "Vai, ora, vamos, anda, por que não vais embora?". Coisa que ainda por cima se complicou na medida em que o "vai, ora!" sempre foi dito com sinceridade, uma vez que desde sempre, sem o saberes, apenas pela força do teu temperamento, tu me seguraste, ou melhor, me subjugaste.

As duas moças[49] foram escolhidas de fato ao acaso, mas extremamente bem escolhidas. Mais um indício da tua compreensão totalmente equivocada é o fato de que tu possas crer que eu, o medroso, o hesitante, o desconfiado, me decida de um golpe por um casamento, encantado talvez por uma blusa. Ambos os casamentos seriam, muito antes, casamentos por interesse, na medida em que toda a força do meu raciocínio foi empregada dia e noite nesse plano, a primeira vez durante anos, a segunda vez durante meses.[50]

Nenhuma das moças me decepcionou, fui eu que decepcionei as duas. Meu veredicto a respeito delas é o mesmo de outrora, quando eu quis casar com elas.

Também não se pode dizer que desconsiderei as experiências da primeira na segunda tentativa de casamento, que fui leviano, portanto. É que os dois casos eram totalmente diferentes e justo as experiências do passado poderiam ter me dado esperanças no segundo caso, que prometia chances muito maiores de êxito. Não quero aqui entrar em detalhes.

---

49. Antes Felice Bauer (ver glossário: F.); agora Felice Bauer e Julie Wohryzek (idem). (N.T.)

50. "durante anos": Kafka conheceu Felice Bauer em 13 de agosto de 1912, o noivado foi cancelado no Natal de 1917. "durante meses": sobretudo em setembro e outubro de 1919. (N.T.)

Mas por que não me casei, então? Havia, como em toda parte, obstáculos particulares, mas a vida consiste exatamente em superar tais obstáculos. O obstáculo mais essencial, porém, lamentavelmente autônomo em relação ao caso individual, residia no fato de eu ser espiritualmente incapaz de me casar, ao que tudo indica. Isso fica expresso no fato de que, a partir do momento em que decido me casar, não consigo dormir, a cabeça arde dia e noite, isso já não é vida, e eu vagueio desesperado por aí. Não são propriamente as preocupações que provocam tudo isso; na verdade, inúmeras preocupações, de acordo com minha melancolia e minha meticulosidade, também correm juntas, mas elas não são o decisivo; ainda que elas, assim como os vermes, levem a cabo o trabalho no cadáver, eu sou atingido de maneira decisiva por outra coisa. É a pressão geral do medo, da fraqueza, do autodesprezo.

Quero tentar explicá-lo melhor: aqui, na tentativa de casamento, convergem, em minhas relações contigo, duas coisas aparentemente opostas, tão fortes como em nenhuma outra parte. O casamento é, por certo, a garantia da mais nítida autolibertação e independência. Eu teria uma família, o máximo que em minha opinião pode ser alcançado, ou seja, o máximo que também tu alcançaste; eu estaria à tua altura e todas as velhas e eternamente novas vergonhas e tiranias passariam a ser apenas história. Com certeza seria fabuloso, mas é justamente aí que está o problema. E, demais, tanto assim não se pode alcançar. É como se alguém estivesse aprisionado e tivesse não apenas a intenção de fugir, o que talvez fosse alcançável, mas também e na verdade ao mesmo tempo, a de transformar reformando, para uso próprio, a prisão num castelo de prazeres. Mas se ele foge, não pode fazer essa reforma, e se ele faz a reforma, não pode fugir. Se eu quiser me tornar independente, na relação especial de infelicidade em que me encontro contigo, preciso fazer alguma coisa que não tenha a menor ligação possível com a tua pessoa; o casamento é, sem dúvida, o que há de maior, e confere a autonomia mais honrosa, mas também está, ao mesmo tempo, na mais estreita relação contigo. Querer escapar disso tem, portanto, algo de loucura, e cada tentativa é quase punida com ela.

E é justamente essa estreita relação que também me atrai em parte ao casamento. Eu imagino para mim o fato de estar à tua altura, essa igualdade que passaria a existir a partir daí e que tu poderias compreender como nenhuma outra; eu a imagino tão bela porque então seria um filho livre, grato, sem culpa, sincero, e tu um pai sem angústias, nada tirânico, compreensivo, satisfeito. Para chegar a esse objetivo, no entanto, tudo o que aconteceu teria de ser desfeito, quer dizer, nós mesmos teríamos de ser apagados.

Assim como somos, porém, o casamento está vedado para mim, pelo fato de que ele é precisamente o teu domínio mais próprio. Às vezes imagino o mapa-múndi aberto e tu estendido transversalmente sobre ele. Então tenho a sensação de que para mim entrariam em consideração apenas as regiões que tu não cobres ou que não estão ao teu alcance. De acordo com a imagem que tenho de teu tamanho, essas regiões não são muitas nem muito consoladoras, e o casamento não está entre elas.[51]

Só essa comparação já prova que não quero de modo algum dizer que com teu exemplo tu me expulsaste do casamento,[52] mais ou menos do mesmo jeito que me expulsaste da loja. Pelo contrário, apesar de qualquer semelhança remota. Para mim o teu casamento com mamãe foi, em muitos aspectos, um modelo, na fidelidade, na ajuda mútua, no número de filhos e mesmo depois, quando os filhos cresceram e perturbaram cada vez mais a paz, o casamento nem por isso deixou de permanecer intocável. Talvez tenha sido exatamente nesse exemplo que também se formou o meu alto conceito do casamento; o fato de que o anseio por ele foi impotente com certeza tinha outros motivos. Eles residiam na tua relação com os filhos, o que na verdade é o tema de toda esta carta.

Existe uma opinião segundo a qual o medo do casamento às vezes deriva do temor de que os filhos mais tarde farão a pessoa pagar pelos pecados

---

51. Essa talvez seja, em toda a obra, a figura mais precisa – e abrangente – da imagem que Kafka tinha de seu pai. O mais absurdo é que, ao final, percebe-se que o aspecto geográfico do domínio do pai – o casamento não é nenhuma região geográfica – nem representa todo seu domínio, que o mapa-múndi é apenas uma imagem, e o domínio do pai vai além... (N.T.)

52. Nos *Diários* Kafka escreve acerca de seu pai: "Por que eu queria sair do mundo, afora? *[tradução ipsis verbis]* Porque "ele" não me deixou viver no mundo, no seu mundo" (ver *Tagebücher 1910-1923*. Org. por Max Brod. New York e Frankfurt a. M., 1951, p. 564). (N.T.)

que cometeu contra os próprios pais. Acredito que no meu caso isso não tenha maior significado, pois a minha consciência de culpa na verdade provém de ti e também está demasiadamente impregnada de sua própria singularidade e, mais que isso, esse sentimento de singularidade sem dúvida faz parte de sua torturante natureza, e uma repetição é inimaginável. Devo dizer, contudo, que um filho assim, mudo, apático, seco, arruinado, seria insuportável para mim, eu por certo fugiria dele, emigraria, se não houvesse nenhuma outra possibilidade, assim como tu querias fazer por causa do meu casamento. Portanto, a minha incapacidade para o casamento também pode ser influenciada por isso.

Muito mais importante, porém, é o receio em relação a mim mesmo. Ele deve ser entendido assim: já dei a entender que eu, no ato de escrever e naquilo que se relaciona a ele, efetuei pequenas tentativas de independência, tentativas de fuga com um resultado quase nulo e elas por certo não me levarão adiante, muita coisa o prova para mim. Apesar disso é meu dever, ou antes, minha vida depende disso, do fato de velar por elas, em não deixar que se aproxime perigo algum que eu possa repelir, até mesmo nenhuma possibilidade de um perigo desses. O casamento é a possibilidade de um perigo desses, mas também a possibilidade do maior progresso; a mim porém basta a circunstância de que ele é a possibilidade de um perigo. O que eu haveria de fazer, caso ele de fato fosse um perigo? Como poderia continuar a viver no casamento com o sentimento talvez indemonstrável, mas de qualquer modo irrefutável, desse perigo?[53] Diante disso eu até posso oscilar, mas a saída final é certa: preciso renunciar. A comparação do pássaro na mão e dos dois voando[54] só pode ser aplicada bem remotamente nesse caso. Na mão eu não tenho nada, todos os pássaros estão voando e mesmo assim eu preciso – assim o determinam as condições de luta e a miséria da vida – escolher o nada. Opção semelhante eu já tive de fazer na escolha da profissão.

Mas o obstáculo mais importante ao casamento é a convicção já inexterminável de que tudo o que é necessário ao sustento da família ou mesmo à sua condução é aquilo que reconheci em ti e ainda por cima tudo isso junto, o bom e o mau, tal como está organicamente unificado em ti, ou seja, força e desdém pelo outro, saúde e uma certa falta de medida, dom oratório e insuficiência, autoconfiança e insatisfação com todos, superioridade diante do mundo e tirania, conhecimento dos homens e desconfiança

---

53. Kafka sempre disse que tudo aquilo que não tinha a ver com literatura o aborrecia. Em carta a Max Brod, Kafka escreve: "A nostalgia de escrever predomina em tudo" (*Briefe 1902-1924*. Org. por Max Brod. New York e Frankfurt a. M., 1958, p. 392). Nos *Diários* Kafka anota: "Foi principalmente a consideração ao meu trabalho de escritor que me impediu, pois eu acreditava que este trabalho estaria em perigo com o casamento" (*Tagebücher 1912-1914*. Org. por Hans-Gerd Koch. Frankfurt a. M., 1994, p. 135). (N.T.)

54. É a felicidade do tradutor encontrar equivalência direta entre dois ditados. O alemão – usado por Kafka – é mais elaborado que o brasileiro, pois trabalha com duas aves. "Der Sperling in der Hand und die Taube auf dem Dach", escreve Kafka... Quer dizer, "[é melhor] o pardal na mão [do qu]e a pomba no telhado". (N.T.)

em relação à maioria e ainda virtudes sem qualquer desvantagem, como diligência, perseverança, presença de espírito, audácia. De tudo isso eu não tinha quase nada comparado a ti, ou apenas muito pouco; e com isso eu queria me atrever ao casamento, vendo que mesmo tu precisaste trabalhar duramente no casamento, chegando a fracassar diante dos filhos? Conforme é natural, não me colocava esta pergunta de maneira explícita, nem a respondia de maneira explícita, pois caso contrário o modo usual de pensar teria se apoderado da questão e me mostrado outros homens, diferentes de ti (para citar um que está próximo e é muito diferente: tio Richard), que se casaram e pelo menos não se arruinaram com isso, o que já é muito e teria me bastado às fartas. Mas não cheguei a colocar essa questão, mas sim a vivenciei desde a infância. Não foi só com o casamento, por certo, que passei a testar a mim mesmo, eu o fazia diante de qualquer insignificância; diante de qualquer insignificância tu me convencias pelo teu exemplo e pela tua educação, assim como procurei descrevê-los, da minha incapacidade, e o que era válido em qualquer insignificância e te dava razão tinha, é claro, de ser monstruosamente válido diante da coisa mais importante, ou seja, do casamento. Até as tentativas de casamento, cresci mais ou menos como um homem de negócios que de fato vive o dia-a-dia com preocupações e maus pressentimentos, mas sem uma contabilidade precisa. Ele até faz algum lucro, que em virtude da raridade ele sempre paparica e exagera em suas ideias, e afora isso apenas prejuízos diários. Tudo é registrado, mas nunca submetido a um balanço. Mas então chega o dia em que o balanço é obrigatório e isso significa a tentativa de casamento. E no que tange às grandes somas com que é preciso contar, é como se nunca tivesse existido o mínimo lucro e tudo fosse uma única e grande dívida. E agora case sem ficar louco!

Assim termina minha vida contigo até agora e são essas as perspectivas que ela carrega consigo para o futuro.

Tu poderias, caso fosses capaz de abarcar minha fundamentação do medo que tenho de ti, responder: "Tu afirmas que eu simplifico a meu favor quando explico minha relação contigo apenas através da tua culpa, mas acredito que, apesar do esforço aparente tu a tornas, se não mais difícil, pelo menos bem mais em conta naquilo que te diz respeito. Em primeiro lugar, rejeitas qualquer culpa e responsabilidade de tua parte, e nisso, portanto, nosso comportamento é o mesmo. Mas se eu credito, com a franqueza de meus propósitos, toda a culpa a ti, tu queres te mostrar 'supersensato' e 'supercarinhoso' e me absolver de qualquer culpa. Naturalmente só na aparência tu consegues esta última absolvição (e mais do que isso não queres); o resultado é que, nas entrelinhas, e a despeito de todos os 'discursos' sobre modo de ser, natureza, oposição e desamparo, fui eu o agressor, enquanto tudo o que tu fizeste foi apenas autodefesa. Portanto, agora tu já terias conseguido o bastante com tua insinceridade, pois provaste três coisas: primeiro, que tu és inocente; segundo, que eu sou culpado e, terceiro, que tu estás disposto, por pura grandiosidade, não só a me perdoar, mas, o que dá mais ou menos no mesmo, a demonstrar e crer pessoalmente que eu, seja como for contra a verdade, também sou inocente. Isso poderia te bastar por ora, mas mesmo assim não te basta. Tu meteste na cabeça a ideia de viver completamente às minhas custas. Reconheço que lutamos um contra o outro, mas existem dois tipos de luta. A luta cavalheiresca, na qual são medidas as forças de contendores independentes, cada um por si, na qual cada um perde por si e ganha por si. E a luta do inseto daninho, que não apenas pica, mas ainda por cima suga o sangue para conservar a vida. Este é o verdadeiro soldado profissional, e tu o és. És incapaz para a vida; mas para poderes te[55] instalar nela confortavelmente, despreocupado e sem autocensuras, tu demonstras que eu te tirei toda a tua capacidade para a vida e a enfiei em meu próprio bolso. Que te importa se agora és incapaz para a vida, eu é que sou o responsável e tu apenas te espreguiças tranquilamente e te fazes

---

55. Aqui o texto à máquina é interrompido em meio à frase (45ª. página do texto datilografado, que aparece quase toda ela vazia). Ele continua em uma página e meia, de formato menor pertencente ao manuscrito original, que se pensava extraviado e só foi localizado mais tarde. De modo que hoje em dia parte da *Carta* em sua versão manuscrita – a mencionada página e meia – encontra-se nos arquivos do espólio de Max Brod, ao passo que as páginas restantes – em torno de cem – encontram-se no Arquivo Literário de Marbach. É sintomático que a nova redação – que ademais testemunha sobre o valor literário que o próprio Kafka dava, ou passou a dar, à *Carta*, que agora não seria mais entregue, definitivamente – termine justamente no mòmento em que a palavra é dada ao pai e este passa a se defender com os argumentos do próprio filho. (N.T.)

arrastar, física e espiritualmente, por mim pela vida afora. Um exemplo: quando há pouco quiseste casar, ao mesmo tempo não quiseste casar, conforme confessas nesta carta; mas, a fim de não precisares te dar ao trabalho, querias que eu te ajudasse a não te casares, na medida em que, por causa da 'vergonha' que a ligação infligiria ao meu nome, eu te proibia esse casamento. Ora, mas isso nem sequer me ocorreu. Em primeiro lugar nunca quis, tanto aqui como em outra parte, 'ser um obstáculo à tua felicidade', e em segundo lugar não quis jamais ouvir de um filho meu uma censura dessa natureza. Por acaso a autossuperação, através da qual te abri caminho ao casamento, ajudou alguma coisa? Absolutamente nada. Minha aversão ao casamento não o teria impedido, pelo contrário, teria sido muito antes um estímulo a mais para ti, de casar com essa moça, uma vez que a 'tentativa de fuga', conforme tu te expressas, teria sido completa por causa disso. E a minha permissão para o casamento não impediu tuas censuras, pois tu chegas a provar que eu sou, sem a menor dúvida, culpado por não teres te casado. No fundo, porém, tanto neste quanto em qualquer outro caso, tu não me provaste nada a não ser que todas as minhas censuras foram legítimas e que faltou entre elas uma censura especialmente legitimada, a censura da insinceridade, da bajulação, do parasitismo. Ou muito me engano, ou tu ainda parasitas em mim com esta carta".

A isso respondo que, de primeiro, toda essa objeção, que em parte também pode ser voltada contra ti, não provém de ti, mas de mim. Nem mesmo a tua desconfiança com os outros é tão grande quanto a minha autodesconfiança, para a qual me educaste. Uma certa legitimidade à objeção, que além do mais contribui com algo novo para a caracterização do nosso relacionamento, eu não posso negar. Naturalmente as coisas não se encaixam tão bem na realidade como as provas contidas na minha carta, pois a vida é mais do que um jogo de paciência; mas com a correção que resulta dessa réplica, uma correção que não posso nem quero discutir nos detalhes, alcançou-se a meu ver algo tão aproximado da verdade, que isso pode nos tranquilizar um pouco e tornar a vida e a morte mais fáceis para ambos.

Franz

So können natürlich die Dinge in Wirklichkeit nicht aneinandergehen, wie die Beweise in meinem Brief, das Leben ist mehr als ein Geduldspiel; aber mit der Korrektur, die sich durch diesen Einwurf ergibt, eine Korrektur, die ich im Einzelnen weder ausführen kann noch will, ist meiner Meinung nach doch etwas der Wahrheit so sehr angenähertes erreicht, daß es uns beide ein wenig beruhigen und Leben und Sterben leichter machen kann.

Franz

Glossário

ARCA DA ALIANÇA (Bundeslade) – Citada em Samuel, capítulo 1, versículos 4 a 7; Êxodo, capítulo 25, versículos 10 a 22, e capítulo 37, versículos 6 a 9. Tabernáculo sagrado no qual se guardavam as tábuas da lei mosaica. Já nos tempos da mixná (*mishnah*: segundo o Dicionário Houaiss, "coleção das tradições rabínicas, na maioria orais, compilada por volta do ano 200") surgiu a tradição de guardar em um nicho localizado na parte oriental da sinagoga um receptáculo no qual eram exibidos os escritos sagrados; essa espécie de altar era a representação do que havia de mais sagrado na religião judaica.

ASSICURAZIONI GENERALI – Companhia privada de seguros italiana, com filial em Praga, na qual Kafka trabalhou de outubro de 1907 a julho de 1908, logo depois de se formar em Direito; o emprego foi conseguido com a intervenção de seu tio Alfred Löwy. Uma vez que Kafka queria dispor de suas tardes para trabalhar literariamente, mudou para a Companhia de Seguros de Acidente de Trabalho (*Arbeiter-Unfall-Versicherung-Anstalt*), na qual os trabalhos no escritório eram concluídos às 14 horas.

BAR MITZVAH – Na religião judaica, a cerimônia religiosa iniciatória que reconhece um jovem como *bar mitzvah* (o menino que, no seu 13º aniversário, atinge a maioridade religiosa, passando a ter a obrigação de cumprir os preceitos religiosos).

ELLI – Irmã mais velha de Kafka. Nasceu em 22 de setembro de 1889. Conforme fica claro em uma das passagens da *Carta ao pai*, o fato de Elli ter mudado muito com o casamento marcou Kafka profundamente. Em carta a Felice, o autor chega a anotar que depois do casamento a "felicidade mais pura" se espalhou sobre ela e seus dois filhos (ver KAFKA, Franz: *Briefe an Felice und andere Korrespondenz aus der Verlobungszeit*. Org. por Erich Heller e Jürgen Born, Frankfurt a. M., 1967, p. 243).

F. – Felice Bauer. Kafka conheceu Felice em 13 de agosto de 1912. Em final de maio de 1914 noivou com a moça e em julho do mesmo ano rompeu o noivado; a história se repetiu, nos mesmos termos, em julho e dezembro de 1917.

FELIX – Felix Hermann, sobrinho de Kafka, filho de sua irmã Elli. Hermann Kafka adorava o neto.

FRANKLIN – Referência à autobiografia do político e cientista norte-americano Benjamin Franklin (1706-1790), publicada em 1868 em sua versão completa e dedicada ao filho. Na biblioteca de Kafka foi encontrada a tradução tcheca da autobiografia, de Vladimir Dedek.

FRANZENSBAD – Estação de cura no nordeste da Boêmia, na qual os pais de Kafka costumavam passar o verão.

GERTI – Irmã de Felix e filha de Elli e Karl Hermann.

IRMA – Irma Kafka (1889-1919), prima de Kafka, filha de seu tio Heinrich. Trabalhou na loja do pai do escritor durante a Primeira Guerra Mundial, mas não morava com a família. Era a melhor amiga de Ottla e com ela passava a maior parte de seu tempo livre; Kafka às vezes também participava dos encontros das duas. Morreu vítima da gripe espanhola que grassou pela Europa à época.

JOSEPHPLATZ – A praça Joseph ficava no final da Paricer Strasse, próxima à Zeltnergasse, a rua onde os Kafka moraram até o autor completar 24 anos (ver mapa de Praga na contracapa de BINDER, Hartmut: *Kafka-Kommentar*. München 1976, bem como indicações geográficas mais precisas na página 449).

JULIE WOHRYZEK – A moça é o motivo imediato da carta, uma vez que motivou o "pequeno pronunciamento" do pai diante do "último propósito de casamento" revelado por Kafka. Em meados de setembro de 1919, Kafka fica noivo de Julie, encarando a oposição enérgica do pai, preocupado sobretudo com a pobreza da moça. Também alguns amigos do escritor demonstram preocupações em relação à "conduta" da moça, e Max Brod chega a anotar em seu diário que Julie Wohryzek é mulher de "duvidosa fama". Em carta a Max Brod, Kafka descreve a moça da seguinte – e estranhíssima – forma: "Não judia e não não judia, sobretudo não não judia, não alemã, não não alemã, apaixonada por cinema, operetas e comédias, em pó e véu, possuidora de uma quantia inesgotável e inevitável das mais atrevidas expressões da gíria; no todo bastante ignorante, mais divertida do que triste – mais ou menos assim ela é. Se a gente quiser descrever com precisão a que espécie de povo pertence, tem-se de dizer que ela pertence ao povo das balconistas. E com tudo isso ela é brava, sincera, altruísta de coração – qualidades tão grandiosas em uma criatura, que fisicamente por certo não é desprovida de beleza, mas é tão nula, mais ou menos como uma mosca, que voa contra a luz do meu lampião" (*Max Brod/Franz Kafka. Eine Freundschaft (II). Briefwechsel*. Org. por Malcolm Pasley. Frankfurt a. M., 1989, p. 263 s.).

KARL HERMANN – Cunhado de Kafka, marido de Elli, a irmã mais velha. Depois de ter casado em fins de 1910, abriu – em 1911 – a fábrica de asbesto na qual Kafka também se comprometeu a trabalhar de quando em vez e assumiu papel de sócio oculto, uma vez que seu pai investira o dinheiro necessário para abrir a fábrica. Era um dândi, que gastava mais do que ganhava e de uma lábia quase criminosa; o pai de Kafka gostava dele. Na *Carta ao pai*, fica claro – logo no início, sobretudo – que o pai sempre acusou o filho de tê-lo levado a investir na empreitada malograda ("a fábrica eu joguei às tuas costas e depois te abandonei"). Em 19 de dezembro de 1914, Kafka anota que o pai o acusara de tê-lo "engambelado", levando-o a investir na fábrica, para depois dizer que por "medo do pai" não jantou com a família à noite (*Dichter über ihre Dichtungen. Franz Kafka*. Org. por Erich Heller e Joachim Beug. München 1969, p. 88). Uma vez que o trabalho na fábrica o impedia de prosseguir na criação de *O desaparecido* (*América*), Kafka chegou a cogitar a possibilidade de suicídio. A "Prager Asbestwerke Hermann & Co" foi definitivamente liquidada em julho de 1918.

LÖWY (p. 22 e 55) – O sobrenome de solteira da mãe, Julie Löwy (1855-1934), nascida em Padiebrad. De família abastada, ela conheceu o marido, Hermann Kafka, nascido em 1852, provavelmente através de uma agência de casamentos. Pelas cartas à época do noivado, pode-se deduzir que Hermann era homem amoroso, mas já então destinado a ser um pai autoritário. Sua estatura era majestosa e impunha respeito (ver HERMES, Roger: "Der *Brief an den Vater* und sein Adressat Hermann Kafka". In: *Brief an den Vater*. Org. por Roger Hermes. Frankfurt a. M., 1999, p. 70).

LÖWY (p. 30) – Referência a Jizchak Löwy, membro do grupo de teatro polonês com o qual Kafka esteve em contato durante algum tempo; Kafka conheceu Jizchak no inverno de 1911-12. O episódio também é referido nos *Diários* de Kafka.

MATURA – O exame final do curso secundário na Áustria. Na Alemanha a mesma prova é conhecida como Abitur. Ao contrário do vestibular brasileiro, nenhuma das duas concede acesso automático à universidade.

MESCHUGGE – Em iídiche no original, significando "absurda", "amalucada", no caso.

OTTLA – Ottilie, a irmã caçula de Kafka e sua preferida; nasceu em 29 de outubro de 1892. Kafka via na irmã a imagem da mãe e chegou a viver com ela em Zürau, compartilhando leituras de Platão e Schopenhauer. Contra o pai, apoiou-a na decisão de se mudar para o campo.

PAWLATSCHE – Em tcheco no original. A palavra *pavlaè* significa sacada em tcheco e, tanto no alemão de Praga quanto no de Viena, designa o corredor, aberto ou envidraçado, que atravessa o andar inteiro de uma casa pelo lado do pátio. O trauma da porta trancada marcou tanto o autor, que aparece referido também na obra *O desaparecido*, onde Karl Roßmann é mostrado constantemente na situação de "trancado", dentro ou fora de alguma coisa, ou até mesmo em *A metamorfose*, onde Gregor – depois de um pontapé do pai e por iniciativa da irmã – é trancado em seu quarto e, com isso, apartado da convivência familiar.

PEPA – Apelido do cunhado de Kafka, Josef Pollak, que casou com Valli, sua irmã, em 11 de janeiro de 1913. Pepa nasceu em 1882 e morreu num campo de concentração, durante a Segunda Guerra Mundial.

PHILIPP, LUDWIG, HEINRICH – Irmãos de Hermann, pai de Kafka. Philipp (ou Filip) nasceu em 1847, era comerciante em Kolin e "muito divertido e descarado", segundo Klaus Wagenbach (*Franz Kafka. Eine Biographie seiner Jugend 1883-1912*. Berna, 1958, p. 17); faleceu em 1914 aos 68 anos de idade. Ludwig (1857-1911) era agente de seguros em Praga. Heinrich (1850-1886) era comerciante.

PRIMA – Antigamente, oitavo e nono anos letivos do curso ginasial.

REZA PELA SALVAÇÃO DA ALMA DOS MORTOS (*Seelengedächnisfeier*) – Conforme o nome já diz, oração pela alma dos mortos, acompanhada de oferendas destinadas a inspirar a salvação. Também conhecida por *Maskir*.

RICHARD, TIO – Richard Löwy (1857-1938), irmão da mãe de Kafka, comerciante em Praga.

ROBERT KAFKA – Primo de Kafka, e não tio, conforme aparece em algumas edições. Filho de Philipp, irmão de Hermann Kafka; advogado bem-sucedido, vivia em Praga, e morreu, provavelmente em 1922, vítima de uma misteriosa doença no baço.

SCHÖNBORN (PALÁCIO DE) – Edifício barroco em Praga no qual Kafka morou de março a agosto de 1917, ao se preparar para o casamento – era o segundo noivado – com Felice Bauer. Em várias de suas cartas, Kafka deixa claro que a insalubridade do lugar apenas apressou as consequências de sua doença, fazendo seu pulmão sangrar, inclusive.

SEDER – Nome do culto familiar que acontece nas duas primeiras noites da festa de Páscoa (Pessach) judaica, a fim de lembrar a libertação dos israelitas do Egito.

SEKUNDA – Antigamente o décimo e décimo primeiro anos letivos do curso ginasial.

TERTIA – Último ano do curso ginasial.

TORÁ – Na terceira acepção do Dicionário Houaiss: "Rolo manuscrito do *Pentateuco*, em couro ou pergaminho, usado liturgicamente nas sinagogas, geralmente coberto por uma capa decorativa e guardado na arca sagrada".

VALLI – Valerie, irmã de Kafka, nascida em 25 de setembro de 1890. Tanto os dois irmãos mais velhos de Kafka, que morreram logo após o nascimento, quanto Elli e Valli nasceram em setembro.

ZÜRAU, aventura de Ottla em – A irmã de Kafka havia decidido administrar sozinha uma propriedade rural em Zürau, onde o próprio escritor passou longas temporadas entre 1917 e 1918. Ottla apregoava a harmonia de uma vida no campo, dizendo – em carta de 12 de julho de 1916 a seu futuro esposo – que viver na cidade era "algo totalmente errado" (ver KAFKA, Franz: *Briefe an Ottla und die Familie*. Org. por Hartmut Binder e Klaus Wagenbach. Frankfurt a. M., 1974, p. 174). Antes da "aventura", Ottla trabalhava na loja do pai, onde era a primeira a entrar: "Ela fica na loja ao meio-dia, levam a comida a ela, e só volta à tarde para casa, às quatro ou às cinco", conforme Kafka escreve em uma carta a Felice (ver KAFKA, Franz: *Briefe an Felice und andere Korrespondenz aus der Verlobungszeit*. Org. por Erich Heller e Jürgen Born, Frankfurt a. M., 1967, p. 287).

Cronologia Biobibliográfica Resumida de Franz Kafka

1883 – Franz Kafka nasce em 3 de julho, filho mais velho do comerciante Hermann Kafka (1852-1931) e de sua esposa Julie, nascida Löwy (1855-1934), na cidade de Praga, na Boêmia, que então pertencia ao Império Austro-Húngaro e hoje é capital da República Tcheca. Kafka teve dois irmãos, falecidos pouco depois do nascimento, e três irmãs. São eles: Georg, nascido em 1885 e falecido 15 meses após o nascimento; Heinrich, nascido em 1887 e falecido seis meses após o nascimento; Gabriele, chamada Elli (1889-1941); Valerie, chamada Valli (1890-1942), e Ottilie, a preferida, chamada Ottla (1892-1943).

1889 – Kafka frequenta uma escola alemã para meninos em sua cidade natal até o ano de 1893.

1893 – Inicia o ginásio, concluído no ano de 1901. Escreve algumas obras infantis que são destruídas logo depois.

1897 – Faz amizade com Rudolf Illowý; toma parte em debates socialistas.

1900 – Passa as férias de verão com seu tio Siegfried, médico rural, em Triesch.

1901 – Faz o exame final do curso secundário e passa suas férias, pela primeira vez sozinho, em Nordeney e Helgoland. No outono principia os estudos na "Universidade Alemã de Praga"; começa estudando Química e em seguida passa ao Direito. Faz também alguns seminários de História da Arte.

1902 – Viaja a Munique e pretende continuar lá seus estudos de Germanística, começados no verão do mesmo ano. No semestre de inverno, decide prosseguir os estudos de Direito em Praga. Primeiro encontro com Max Brod.

1903 – Kafka tem a sua primeira relação sexual, com uma vendedora de loja. A experiência o marcaria – de insegurança – para a vida inteira. Faz a primeira de suas várias visitas a sanatório, em Dresden.

1904 – Lê Marco Aurélio e os diários de Hebbel, escritor alemão do século XIX. Inicia os trabalhos na obra *Descrição de uma luta* (*Beschreibung eines Kampfes*).

1905 – Volta a visitar um sanatório, desta vez em Zuckmantel, onde vive uma relação com uma mulher bem mais velha, o primeiro amor de sua vida.

1906 – Faz trabalho voluntário num escritório de advocacia. Em 18 de junho, é doutorado, recebendo o título de *Doktor juris*. No outono, faz seu estágio de um ano em dois tribunais. Escreve a obra *Preparativos de casamento no campo* (*Hochzeitsvorbereitung auf dem Lande*).

1907 – Conhece Hedwig Weiler em Triesch e tenta conseguir-lhe um emprego em Praga. Trabalha na empresa de seguros Assicurazione Generali.

1908 – Primeira publicação. Oito fragmentos em prosa, na revista *Hyperion*, que posteriormente receberiam o título de *Consideração* (*Betrachtung*). Em julho, passa a trabalhar no emprego que seria, ao mesmo tempo, martírio e motor de produção: a Companhia de Seguros de Acidente de Trabalho de Praga.

1910 – Toma parte em vários eventos socialistas. Entra em contato íntimo com uma trupe de atores judaicos, liderada pelo seu amigo Jizchak Löwy, citado na *Carta ao pai*. Viaja com Max e Otto Brod a Paris. Continua suas várias viagens de negócio.

1911 – Outra viagem de férias a Paris. Em março, participa de algumas das palestras de Karl Kraus. Com o dinheiro do pai, torna-se sócio (inativo) da fábrica de asbesto de seu cunhado Josef Pollak. Visto que Kafka se demonstrara incapaz de dirigir um negócio pessoalmente, tentou fazê-lo participando com o capital (do pai, seja dito). Continua as visitas à trupe de atores de Jizchak Löwy no Hotel Savoy e apaixona-se pela atriz Mania Tschissik.

1912 – O ano capital na vida de Kafka. Viaja com Max Brod a Weimar e conhece de perto o ambiente dos grandes clássicos, Goethe e Schiller. Na visita à casa de Goethe apaixona-se pela filha do zelador. Os oito fragmentos de prosa publicados em revista no ano de 1908 são editados em livro. Nesse mesmo ano, Kafka conhece Felice Bauer, com quem trocaria incontáveis cartas. Em setembro, escreve *O veredicto (Das Urteil)*, sua primeira obra de importância. Em outubro, é tomado, conforme pode ser visto nos *Diários* iniciados quatro anos antes, por pensamentos de suicídio. De 17 de novembro a 7 de dezembro, escreve *A metamorfose (Die Verwandlung)*, a mais conhecida de suas obras.

1913 – Visita Felice Bauer três vezes em Berlim. É promovido a vice-secretário da Companhia de Seguros. Trabalha ferozmente na jardinagem na periferia de Praga para esquecer as atribulações do intelecto. Viaja a várias cidades, entre elas, Trieste, Veneza e Verona. Em setembro e outubro, tem uma curta relação com uma jovem suíça de dezoito anos no sanatório de Riva. No final do ano, conhece Grete Bloch, que viera a Praga para tratar do noivado de Kafka com Felice.

1914 – Continua a visitar Felice e esta vai a Praga. A correspondência com Grete Bloch torna-se cada vez mais íntima. Em 2 de junho, acontece o noivado oficial com Felice em Berlim. Kafka mora na casa de suas duas irmãs, primeiro na de Valli, depois na de Elli.

1915 – Muda-se para um quarto e vive sozinho pela primeira vez na vida. Em abril, viaja à Hungria com Elli. Kafka recebe o conhecido Prêmio Fontane de literatura, mas suas obras estão longe de fazer sucesso. *A metamorfose* é publicada em livro pelo editor Kurt Wolff. Entre julho e agosto, principia a escrever *O processo (Der Prozess)*, sua obra-prima.

1916 – Permanece dez dias com Felice em Marienbad. É publicada sua obra *O veredicto*. Faz leituras públicas de seu livro *Na colônia penal (In der Strafkolonie)* em Munique.

1917 – Começa seus estudos de hebraico. Noiva pela segunda vez com Felice. Adoece de tuberculose. Viaja a Zürau e vive uma vida rural na casa da irmã Ottla, sua preferida. Em dezembro, separa-se em definitivo de Felice Bauer, depois de vários conflitos interiores, medos, alertas alucinados feitos à moça e a seus pais em cartas. Kafka, na verdade, procurava afastar a moça de si fazia anos.

1918 – Volta à Companhia de Seguros depois de vários meses de férias devido à doença. Já em Praga, acaba sendo vítima da gripe espanhola, que grassava pela cidade.

1919 – Conhece Julie Wohryzek na pensão Stüdl, em Schelesen, e vive mais uma de suas várias relações. Em abril, volta a Praga. Noiva com Julie Wohryzek, apesar de não alcançar a aprovação do pai. É publicada a novela *Na colônia penal*. Escreve a *Carta ao pai* e enfim estabelece, de maneira concreta, os problemas de relação entre ele e seu pai, indiciados em toda a sua obra ficcional. Depois de curta temporada em Schelesen, onde desta vez conhece Minze Eisner, volta a Praga em dezembro.

1920 – É promovido a secretário da Companhia de Seguros e seu salário é aumentado. Troca intensa de cartas com sua tradutora para o tcheco, Milena Jesenská. Viaja a Viena, onde Milena reside, e passa quatro dias com ela. Escreve várias narrativas curtas. Termina o noivado com Julie Wohryzek. Escreve um esboço para *O castelo (Das Schloss)*. Em dezembro, volta ao sanatório em Matliary (Alto Tatra, nos montes Cárpatos).

1921 – Continua em Matliary. Faz amizade com Robert Klopstock. No outono, volta a Praga. Entrega todos os seus diários a Milena.

1922 – Começa a escrever *O castelo*, a mais extensa e mais ambiciosa de suas obras. É promovido a secretário-geral da Companhia de Seguros. Escreve *Um artista da fome (Ein Hungerkünstler)*. Aposenta-se devido à doença. Passa alguns meses com Ottla, sua irmã, numa residência de verão em Planá. Kafka avisa a Max Brod que depois de sua morte ele deve destruir todas as suas obras.

1923 – Volta a estudar hebraico. Faz planos de mudar-se para a Palestina. Conhece Dora Diamant. Torna a passar dois meses com sua irmã Ottla em Schelesen. Em final de setembro, muda-se para Berlim, onde vive com Dora Diamant. Escreve *A construção (Der Bau)*.

1924 – Em março, volta a Praga. Escreve sua última narrativa curta, *Josephine, a cantora (Josephine, die Sängerin)*. O pai de Dora Diamant não concorda com um noivado entre a filha e o escritor. A partir de abril, vive com Dora e Robert Klopstock no sanatório Hoffmann, em Kierling, onde Kafka vem a falecer no dia 3 de junho. É enterrado em Praga. No verão, é publicado o volume *Um artista da fome*.

Coleção **L&PM** POCKET

1100. **Hamlet (Mangá)** – Shakespeare
1101. **A arte da guerra (Mangá)** – Sun Tzu
1104. **As melhores histórias da Bíblia (vol.1)** – A. S. Franchini e Carmen Seganfredo
1105. **As melhores histórias da Bíblia (vol.2)** – A. S. Franchini e Carmen Seganfredo
1106. Psicologia das massas e análise do eu – Freud
1107. Guerra Civil Espanhola – Helen Graham
1108. **A autoestrada do sul e outras histórias** – Julio Cortázar
1109. O mistério dos sete relógios – Agatha Christie
1110. **Peanuts: Ninguém gosta de mim... (amor)** – Charles Schulz
1111. **Cadê o bolo?** – Mauricio de Sousa
1112. O filósofo ignorante – Voltaire
1113. Totem e tabu – Freud
1114. Filosofia pré-socrática – Catherine Osborne
1115. Desejo de status – Alain de Botton
1118. Passageiro para Frankfurt – Agatha Christie
1120. Kill All Enemies – Melvin Burgess
1121. A morte da sra. McGinty – Agatha Christie
1122. Revolução Russa – S. A. Smith
1123. Até você, Capitu? – Dalton Trevisan
1124. O grande Gatsby (Mangá) – F. S. Fitzgerald
1125. **Assim falou Zaratustra (Mangá)** – Nietzsche
1126. **Peanuts: É para isso que servem os amigos (amizade)** – Charles Schulz
1127. (27). Nietzsche – Dorian Astor
1128. **Bidu: Hora do banho** – Mauricio de Sousa
1129. O melhor do Macanudo Taurino – Santiago
1130. Radicci 30 anos – Iotti
1131. Show de sabores – J.A. Pinheiro Machado
1132. O prazer das palavras – vol. 3 – Cláudio Moreno
1133. Morte na praia – Agatha Christie
1134. O fardo – Agatha Christie
1135. **Manifesto do Partido Comunista (Mangá)** – Marx & Engels
1136. A metamorfose (Mangá) – Franz Kafka
1137. **Por que você não se casou... ainda** – Tracy McMillan
1138. Textos autobiográficos – Bukowski
1139. A importância de ser prudente – Oscar Wilde
1140. Sobre a vontade na natureza – Arthur Schopenhauer
1141. **Dilbert (8)** – Scott Adams
1142. **Entre dois amores** – Agatha Christie
1143. Cipreste triste – Agatha Christie
1144. **Alguém viu uma assombração?** – Mauricio de Sousa
1145. Mandela – Elleke Boehmer
1146. **Retrato do artista quando jovem** – James Joyce
1147. Zadig ou o destino – Voltaire
1148. **O contrato social (Mangá)** – J.-J. Rousseau
1149. Garfield fenomenal – Jim Davis
1150. A queda da América – Allen Ginsberg
1151. Música na noite & outros ensaios – Aldous Huxley
1152. **Poesias inéditas & Poemas dramáticos** – Fernando Pessoa
1153. **Peanuts: Felicidade é...** – Charles M. Schulz
1154. **Mate-me por favor** – Legs McNeil e Gillian McCain
1155. **Assassinato no Expresso Oriente** – Agatha Christie
1156. Um punhado de centeio – Agatha Christie
1157. A interpretação dos sonhos (Mangá) – Freud
1158. **Peanuts: Você não entende o sentido da vida** – Charles M. Schulz
1159. A dinastia Rothschild – Herbert R. Lottman
1160. A Mansão Hollow – Agatha Christie
1161. Nas montanhas da loucura – H.P. Lovecraft
1162. (28). Napoleão Bonaparte – Pascale Fautrier
1163. Um corpo na biblioteca – Agatha Christie
1164. Inovação – Mark Dodgson e David Gann
1165. **O que toda mulher deve saber sobre os homens: a afetividade masculina** – Walter Riso
1166. O amor está no ar – Mauricio de Sousa
1167. **Testemunha de acusação & outras histórias** – Agatha Christie
1168. Etiqueta de bolso – Celia Ribeiro
1169. Poesia reunida (volume 3) – Affonso Romano de Sant'Anna
1170. Emma – Jane Austen
1171. Que seja em segredo – Ana Miranda
1172. Garfield sem apetite – Jim Davis
1173. **Garfield: Foi mal...** – Jim Davis
1174. Os irmãos Karamázov (Mangá) – Dostoiévski
1175. O Pequeno Príncipe – Antoine de Saint-Exupéry
1176. **Peanuts: Ninguém mais tem o espírito aventureiro** – Charles M. Schulz
1177. **Assim falou Zaratustra** – Nietzsche
1178. Morte no Nilo – Agatha Christie
1179. **Ê, soneca boa** – Mauricio de Sousa
1180. Garfield a todo o vapor – Jim Davis
1181. Em busca do tempo perdido (Mangá) – Proust
1182. **Cai o pano: o último caso de Poirot** – Agatha Christie
1183. Livro para colorir e relaxar – Livro 1
1184. Para colorir sem parar
1185. Os elefantes não esquecem – Agatha Christie
1186. Teoria da relatividade – Albert Einstein
1187. Compêndio da psicanálise – Freud
1188. Visões de Gerard – Jack Kerouac
1189. Fim de verão – Mohiro Kitoh
1190. Procurando diversão – Mauricio de Sousa
1191. **E não sobrou nenhum e outras peças** – Agatha Christie
1192. **Ansiedade** – Daniel Freeman & Jason Freeman
1193. Garfield: pausa para o almoço – Jim Davis
1194. **Contos do dia e da noite** – Guy de Maupassant
1195. O melhor de Hagar 7 – Dik Browne
1196. (29). Lou Andreas-Salomé – Dorian Astor
1197. (30). Pasolini – René de Ceccatty

1198. O caso do Hotel Bertram – Agatha Christie
1199. Crônicas de motel – Sam Shepard
1200. Pequena filosofia da paz interior – Catherine Rambert
1201. Os sertões – Euclides da Cunha
1202. Treze à mesa – Agatha Christie
1203. Bíblia – John Riches
1204. Anjos – David Albert Jones
1205. As tirinhas do Guri de Uruguaiana 1 – Jair Kobe
1206. Entre aspas (vol.1) – Fernando Eichenberg
1207. Escrita – Andrew Robinson
1208. O spleen de Paris: pequenos poemas em prosa – Charles Baudelaire
1209. Satíricon – Petrônio
1210. O avarento – Molière
1211. Queimando na água, afogando-se na chama – Bukowski
1212. Miscelânea septuagenária: contos e poemas – Bukowski
1213. Que filosofar é aprender a morrer e outros ensaios – Montaigne
1214. Da amizade e outros ensaios – Montaigne
1215. O medo à espreita e outras histórias – H.P. Lovecraft
1216. A obra de arte na era de sua reprodutibilidade técnica – Walter Benjamin
1217. Sobre a liberdade – John Stuart Mill
1218. O segredo de Chimneys – Agatha Christie
1219. Morte na rua Hickory – Agatha Christie
1220. Ulisses (Mangá) – James Joyce
1221. Ateísmo – Julian Baggini
1222. Os melhores contos de Katherine Mansfield – Katherine Mansfield
1223(31). Martin Luther King – Alain Foix
1224. Millôr Definitivo: uma antologia de *A Bíblia do Caos* – Millôr Fernandes
1225. O Clube das Terças-Feiras e outras histórias – Agatha Christie
1226. Por que sou tão sábio – Nietzsche
1227. Sobre a mentira – Platão
1228. Sobre a leitura *seguido do* Depoimento de Céleste Albaret – Proust
1229. O homem do terno marrom – Agatha Christie
1230(32). Jimi Hendrix – Franck Médioni
1231. Amor e amizade e outras histórias – Jane Austen
1232. Lady Susan, Os Watson e Sanditon – Jane Austen
1233. Uma breve história da ciência – William Bynum
1234. Macunaíma: o herói sem nenhum caráter – Mário de Andrade
1235. A máquina do tempo – H.G. Wells
1236. O homem invisível – H.G. Wells
1237. Os 36 estratagemas: manual secreto da arte da guerra – Anônimo
1238. A mina de ouro e outras histórias – Agatha Christie
1239. Pic – Jack Kerouac
1240. O habitante da escuridão e outros contos – H.P. Lovecraft
1241. O chamado de Cthulhu e outros contos – H.P. Lovecraft
1242. O melhor de Meu reino por um cavalo! – Edição de Ivan Pinheiro Machado
1243. A guerra dos mundos – H.G. Wells
1244. O caso da criada perfeita e outras histórias – Agatha Christie
1245. Morte por afogamento e outras histórias – Agatha Christie
1246. Assassinato no Comitê Central – Manuel Vázquez Montalbán
1247. O papai é pop – Marcos Piangers
1248. O papai é pop 2 – Marcos Piangers
1249. A mamãe é rock – Ana Cardoso
1250. Paris boêmia – Dan Franck
1251. Paris libertária – Dan Franck
1252. Paris ocupada – Dan Franck
1253. Uma anedota infame – Dostoiévski
1254. O último dia de um condenado – Victor Hugo
1255. Nem só de caviar vive o homem – J.M. Simmel
1256. Amanhã é outro dia – J.M. Simmel
1257. Mulherzinhas – Louisa May Alcott
1258. Reforma Protestante – Peter Marshall
1259. História econômica global – Robert C. Allen
1260(33). Che Guevara – Alain Foix
1261. Câncer – Nicholas James
1262. Akhenaton – Agatha Christie
1263. Aforismos para a sabedoria de vida – Arthur Schopenhauer
1264. Uma história do mundo – David Coimbra
1265. Ame e não sofra – Walter Riso
1266. Desapegue-se! – Walter Riso
1267. Os Sousa: Uma família do barulho – Mauricio de Sousa
1268. Nico Demo: O rei da travessura – Mauricio de Sousa
1269. Testemunha de acusação e outras peças – Agatha Christie
1270(34). Dostoiévski – Virgil Tanase
1271. O melhor de Hagar 8 – Dik Browne
1272. O melhor de Hagar 9 – Dik Browne
1273. O melhor de Hagar 10 – Dik e Chris Browne
1274. Considerações sobre o governo representativo – John Stuart Mill
1275. O homem Moisés e a religião monoteísta – Freud
1276. Inibição, sintoma e medo – Freud
1277. Além do princípio do prazer – Freud
1278. O direito de dizer não! – Walter Riso
1279. A arte de ser flexível – Walter Riso
1280. Casados e descasados – August Strindberg
1281. Da Terra à Lua – Júlio Verne
1282. Minhas galerias e meus pintores – Kahnweiler
1283. A arte do romance – Virginia Woolf
1284. Teatro completo v. 1: As aves da noite *seguido de* O visitante – Hilda Hilst